HAROUN E O MAR
DE HISTÓRIAS

SALMAN RUSHDIE

HAROUN E O MAR DE HISTÓRIAS

Tradução
Isa Mara Lando

COMPANHIADEBOLSO

*Grafia atualizada segundo o Acordo Ortográfico da Língua Portuguesa de 1990,
que entrou em vigor no Brasil em 2009.*

Título original
Haroun and the Sea of Stories

Capa
Jeff Fisher

Revisão
Adriana Moretto
Renato Potenza Rodrigues

Dados Internacionais de Catalogação na Publicação (CIP)
(Câmara Brasileira do Livro, SP, Brasil)

Rushdie, Salman
    Haroun e o Mar de Histórias / Salman Rushdie ; tradução Isa
Mara Lando. — São Paulo : Companhia das Letras, 2010.

    Título original: Haroun and the Sea of Stories
    ISBN 978-85-359-1698-0

    1. Ficção indiana (Inglês) I. Título

10-05523   CDD-823

Índice para catálogo sistemático:
1. Ficção indiana em inglês 823

2010

Todos os direitos desta edição reservados à
EDITORA SCHWARCZ LTDA.
Rua Bandeira Paulista, 702, cj. 32
04532-002 — São Paulo — SP
Telefone: (11) 3707-3500
Fax: (11) 3707-3501
www.companhiadasletras.com.br

Zembla, Zenda, Xanadu, Xangrilá
Ali nosso sonho pode estar
Fantasia tem asas pra voar
Agora que ando longe, a vagar
Rumo a ti neste livro hei de voltar.

SUMÁRIO

1. O XÁ DO BLÁ-BLÁ-BLÁ

ERA UMA VEZ, no país de Alefbey, uma triste cidade, a mais triste das cidades, uma cidade tão arrasadoramente triste que tinha esquecido até o seu próprio nome. Ficava à margem de um mar sombrio, cheio de peixosos — peixes queixosos e pesarosos, tão horríveis de se comer que faziam as pessoas arrotarem de pura melancolia, mesmo quando o céu estava azul.

Ao norte dessa triste cidade havia poderosas fábricas nas quais a tristeza (assim me disseram) era literalmente *fabricada*, e depois embalada e enviada para o mundo inteiro, que parecia sempre querer mais. Das chaminés das fábricas de tristeza saía aos borbotões uma fumaça negra, que pairava sobre a cidade como uma má notícia.

E nas entranhas da cidade, atrás de uma velha zona de edifícios caindo aos pedaços, que mais pareciam corações partidos, vivia um garoto feliz, chamado Haroun, filho único de Rashid Khalifa, o contador de histórias, cuja alegria era famosa em toda aquela infeliz metrópole, e cujo fluxo interminável de histórias críveis e incríveis, entrelaçadas e serpenteantes, tinha lhe valido não só um apelido, mas dois. Para seus admiradores ele era Rashid, o Mar de Ideias, tão recheado de histórias gostosas como o mar era recheado de peixosos; mas, para seus invejosos rivais, ele era o Xá do Blá-blá-blá. Para sua mulher, Soraya, Rashid foi por muitos anos o marido mais amoroso que se poderia desejar, e durante todos esses anos Haroun foi criado numa casa onde, em vez de tristeza e rugas na testa, havia o riso fácil do seu pai e a voz doce da sua mãe cantando canções que voavam pelo ar.

Foi então que alguma coisa deu errado. (Quem sabe a tristeza da cidade acabou penetrando pelas janelas da casa?)

No dia em que Soraya parou de cantar no meio de um verso, como se alguém tivesse desligado uma chave, Haroun imaginou que alguma complicação estava começando. Mas ele nem desconfiava o quanto essa complicação era complicada.

Rashid Khalifa vivia tão ocupado inventando e contando suas histórias que nem reparou que Soraya não cantava mais; e provavelmente isso piorou ainda mais as coisas. Mas Rashid era um homem ocupadíssimo, extremamente solicitado: era o famoso Mar de Ideias, o grande Xá do Blá-blá-blá. Com todos os ensaios e apresentações que tinha de fazer, Rashid vivia nos palcos, e acabou perdendo o pé do que acontecia na sua própria casa — sempre correndo pela cidade inteira e pelo país inteiro contando histórias, enquanto Soraya ficava em casa, com uma nuvem negra em cima da cabeça e até uns trovõezinhos, preparando uma senhora tempestade.

Haroun acompanhava o pai sempre que possível, pois o homem era um mágico, isso ninguém podia negar. Era capaz de subir num palquinho improvisado no fim da rua, num beco cheio de crianças esfarrapadas e velhos desdentados, sentados de cócoras no chão de terra, e quando começava a falar, até as vacas que perambulavam pela cidade paravam e empinavam as orelhas. Em cima dos telhados os macacos tagarelavam junto com ele, e os papagaios nas árvores imitavam a sua voz.

Haroun costumava pensar que seu pai era um Malabarista, pois cada história era, na verdade, uma porção de histórias diferentes entremeadas uma na outra, e Rashid as mantinha todas sob controle, numa espécie de rodamoinho estonteante, e nunca se atrapalhava.

De onde vinham essas histórias todas? Parecia que bastava a Rashid abrir a boca, com um sorriso rosado e rechonchudo, e lá vinha uma saga novinha em folha, completa, com bruxarias, interesses amorosos, princesas, tios malvados, tias gordas, gângsteres de bigodinho e calça xadrez amarela, lugares fantásticos, covardes, heróis, batalhas, e meia dúzia de canções cativantes, fáceis de cantar. "Tudo vem de algum lugar", raciocinava Haroun, "portanto, não é possível que essas histórias sejam feitas assim, só de ar..."

Mas sempre que ele fazia a seu pai essa pergunta, a mais importante de todas as perguntas, o Xá do Blá-blá-blá apertava os olhos, que (para falar a verdade) eram um pouco saltados, dava umas palmadinhas na pança e enfiava o polegar na boca, fazendo um barulho ridículo como se estivesse bebendo: *glu glu glu.* Haroun odiava quando seu pai fazia isso. Insistia então: "Não, pai, falando sério, de onde elas vêm?", e Rashid retorcia as sobrancelhas com um ar misterioso e desenhava com os dedos no ar uns sinais enigmáticos.

"Vêm do grande Mar de Histórias", respondia. "Eu bebo a Água de Histórias, bem morninha, e fico a todo vapor."

Haroun achou essa explicação extremamente irritante:

"Mas então onde você guarda essa água quente?", perguntou com astúcia. "Só pode ser em garrafas de água quente, não é? Pois muito bem, nunca vi nenhuma!"

"Ela vem de uma Torneira invisível, instalada por um Gênio da Água", disse Rashid com a maior cara de pau. "Mas precisa ser assinante."

"E como a gente faz para virar assinante?"

"Ah!", disse o Xá do Blá-blá-blá, "isso é Complicado Demais Para Explicar."

"Bom, mesmo assim", disse Haroun, emburrado, "também nunca vi um Gênio da Água." Rashid deu de ombros e observou: "Você nunca está acordado quando chega o leiteiro, e nem por isso deixa de tomar leite. Portanto desista, por favor, de tanto 'mas' e de tanto 'e se', e fique feliz com as histórias de que você gosta". E este foi o fim da conversa.

Só que um dia Haroun fez uma pergunta que não estava no programa, e aí começou um verdadeiro inferno.

A família Khalifa morava no andar térreo de uma casinha de cimento com paredes cor-de-rosa, janelas verde-limão e varandas azuis com uma grade cheia de arabescos — coisas que faziam a casa parecer um bolo (pensava Haroun), e não uma casa. Não era uma casa imponente; não se parecia nada com os arranha-céus onde morava o pessoal super-rico; mas também não era como as casas dos pobres. Os pobres moravam em barracões desmantelados, feitos de velhas caixas de papelão e pedaços de plástico, e a cola que mantinha essas casas em pé era o desespero. E havia também os superpobres, que não tinham casa de espécie alguma. Dormiam na calçada e na porta das lojas, e até para isso tinham de pagar uma taxa para os gângsteres da cidade. Assim, a verdade é que Haroun tinha sorte; mas a sorte às vezes foge sem dar o menor aviso. Num momento você tem uma boa estrela te protegendo, e no momento seguinte, babau.

Na cidade triste a maioria das pessoas tinha família grande; mas os filhos dos pobres ficavam doentes e passavam fome, enquanto os filhos dos ricos comiam demais e brigavam por causa do dinheiro dos pais. Haroun queria saber por que seus pais não tinham tido mais filhos, mas a única resposta que Rashid lhe dava não respondia nada:

"Jovem Haroun Khalifa, há em você mais coisas do que se vê num primeiro olhar."

Bem, mas que diabo ele queria dizer com *isso*? Rashid explicou: "Nós gastamos todo o nosso material de fazer crianças só com você. Está tudo aí, daria pra mais umas quatro ou cinco criancinhas. Sim senhor, em você há mais coisas do que se vê num primeiro olhar!".

Dar uma resposta direta era algo além da capacidade de Rashid Khalifa, que nunca tomava o caminho mais curto se havia outro mais longo e mais enroscado. Soraya deu a Haroun uma resposta mais simples: "Nós tentamos", disse ela, com tristeza. "Esse negócio de crianças não é assim tão fácil; veja os coitados dos Sengupta."

Os Sengupta moravam no andar de cima. O Sr. Sengupta era funcionário num escritório, e era tão magricela e tão choramingas e tão mesquinho como sua mulher, Onita, era generosa, expansiva e gordona. Não tinham nenhum filho, e por isso Onita Sengupta dava mais atenção a Haroun do que ele de fato gostaria. Trazia-lhe doces (o que ele achava legal) e arrepiava seu cabelo (o que ele não achava nada legal); e quando ela lhe dava um abraço, parecia que seu corpo vinha despencando em cima dele como uma grande cachoeira, para seu grande alarme.

O Sr. Sengupta não dava confiança para Haroun, mas estava sempre conversando com Soraya, coisa de que Haroun não gostava, especialmente quando o sujeito começava a criticar Rashid, o contador de histórias, achando que Haroun não estava ouvindo. "Esse seu marido, me desculpe falar", começava ele, na sua vozinha chorosa. "Vive no mundo da lua, não tem os pés no chão. Afinal de contas, o que são essas histórias todas? A vida não é nenhum livro de histórias, nem uma loja de piadas. Todo esse divertimento ainda vai acabar mal! E pra que servem essas histórias que nem sequer são verdade?"

Haroun, esforçando-se para ouvir pela janela, resolveu que não gostava do Sr. Sengupta, esse homem que odiava histórias e contadores de histórias; não gostava dele nem um pouquinho mesmo.

Pra que servem essas histórias que nem sequer são verdade?

Haroun não conseguia tirar essa terrível pergunta da cabeça. Entretanto, havia gente que achava que as histórias de Rashid eram úteis. Estavam chegando as eleições, e todos os Grandes Figurões de vários partidos políticos vinham procurar Rashid, sorrindo com aquela cara de gato gordo que eles têm, para lhe implorar que viesse contar histórias no *seu* comício, e não no comício de mais ninguém. Todos sabiam que quem conseguisse ter do seu lado a língua mágica de Rashid não teria mais problemas. Ninguém acreditava em nada do que os políticos diziam, mesmo quando eles faziam o maior esforço para fingir que estavam falando a verdade. (Aliás, era assim que todo o mundo via que eles estavam mentindo.) Mas todo o mundo tinha uma fé absoluta em Rashid, pois ele sempre reconhecia que tudo aquilo que lhes contava era totalmente inverídico, inventado na sua própria cabeça. Sendo assim, os políticos precisavam de Rashid para ajudá-los a conquistar os votos das pessoas. E vinham fazer fila na sua porta, cada um com a sua cara lustrosa, seu sorriso falso e um saco de dinheiro vivo na mão. Rashid podia escolher à vontade.

Naquele dia em que tudo deu errado, Haroun estava voltando da escola para casa quando foi apanhado pelo primeiro pé-d'água da estação das chuvas.

Bem, quando chegava a chuva na cidade triste, a vida ficava um pouco mais fácil de suportar. Nessa época do ano havia deliciosas panfritas no mar, de modo que as pessoas podiam descansar um pouco dos peixosos; e o ar era fresco e limpo, pois a chuva lavava quase toda aquela fumaceira negra que se despejava das fábricas de tristeza. Haroun Khalifa adorava a sensação de ficar encharcado na primeira chuvarada do ano; assim, vinha pulando pela calçada, tomando um maravilhoso banho de chuva morna, e abrindo bem a boca para deixar as gotas baterem na língua. Chegou em casa tão molhado e brilhoso como as panfritas no mar.

A Srta. Onita estava na varanda, no segundo andar, tremendo como uma gelatina; e, se não fosse a chuva, Haroun poderia notar que ela estava chorando. Haroun entrou em casa e encontrou Rashid, o contador de histórias, parecendo que tinha posto a cara para fora da janela, pois apesar de estar com a roupa seca, o rosto e os olhos escorriam água.

A mãe de Haroun, Soraya, tinha fugido com o Sr. Sengupta.

Precisamente às onze horas da manhã ela mandou Rashid ir ao quarto de Haroun procurar umas meias que estavam sumidas. Dali a uns momentos, quando ele ainda estava ocupado na caça (Haroun era ótimo para perder meias), Rashid ouviu a porta da frente bater, e em seguida o som de um carro dando a partida. Ao voltar à sala viu que sua mulher tinha ido embora; um táxi ia virando a esquina a toda velocidade. "Ela deve ter planejado isso com todo o cuidado", pensou ele. O relógio marcava exatamente onze horas. Rashid pegou um martelo e espatifou o relógio em mil pedaços. Daí arrebentou todos os outros relógios da casa, inclusive o da mesinha de cabeceira de Haroun.

A primeira coisa que Haroun disse ao saber da partida da sua mãe foi: "Mas por que você foi quebrar o meu relógio?".

Soraya deixou um bilhete dizendo todas aquelas coisas desagradáveis que o Sr. Sengupta costumava falar sobre Rashid: "Você só se interessa pelo prazer, mas um homem decente deve saber que a vida é uma coisa séria. Seu cérebro está cheio de faz de conta, não tem lugar para a realidade. O Senhor Sengupta não tem imaginação absolutamente nenhuma, e isso para mim está muito bem". E havia um pós-escrito: "Diga a Haroun que eu o amo, mas tenho de fazer isso agora, não tem jeito".

Pingaram gotas de chuva no bilhete, caindo do cabelo de Haroun. "Fazer o quê, filho?", lamentou-se Rashid, com uma voz que dava pena. "O único trabalho que eu sei fazer é contar histórias."

Ouvindo seu pai falar de uma maneira tão patética, Haroun perdeu a calma e gritou: "Pra que tudo isso? *Pra que servem essas histórias que nem sequer são verdade?*".

Rashid escondeu o rosto nas mãos e chorou.

Haroun queria pegar suas palavras de volta, arrancá-las de dentro dos ouvidos do pai e enfiá-las de volta na sua própria boca; mas naturalmente isso era impossível. E foi por isso que pôs a culpa em si mesmo quando, logo depois, nas circunstâncias mais constrangedoras que se possa imaginar, aconteceu Algo Impensável: Rashid Khalifa, o fabuloso Mar de Ideias, o lendário Xá do Blá-blá-blá, postou-se diante de um vasto público, abriu a boca, e descobriu que não tinha mais histórias para contar.

Depois que sua mãe foi embora de casa, Haroun descobriu que não conseguia se concentrar em nada por muito tempo — ou, para ser exato, por mais de onze minutos de cada vez. Rashid o levou ao cinema para ver se o alegrava um pouco, mas depois de precisamente onze minutos a atenção de Haroun começou a se dispersar, e quando o filme acabou ele não fazia a menor ideia do que tinha acontecido, e teve de perguntar a Rashid se no fim o mocinho saiu ganhando. No dia seguinte Haroun estava na rua jogando de goleiro numa partida de hóquei, e depois de fazer uma série de defesas brilhantes nos primeiros onze minutos, começou a deixar entrar os gols mais absurdos, mais tolos e humilhantes. E assim por diante: sua mente estava sempre vagando em algum lugar, deixando seu corpo para trás. Isso criava certas dificuldades, pois muitas coisas interessantes, e algumas importantes, levam mais do que onze minutos: as refeições, por exemplo, ou os exames de matemática.

Foi Onita Sengupta quem percebeu o motivo do problema. Ultimamente ela vinha descendo até a casa de Rashid com mais e mais frequência, como quando foi anunciar de maneira desafiadora: "Para mim esse negócio de Senhora Sengupta acabou! De hoje em diante, me chamem só de Senhorita Onita!". Depois deu um violento tapa na testa e lamentou-se: "Ai, ai, ai! O que será que vai acontecer?".

Porém quando Rashid contou à Srta. Onita sobre a falta de concentração de Haroun, ela falou firmemente, com toda a segurança: "Eram onze horas quando a mãe dele foi embora. Agora vem esse problema dos onze minutos. O motivo vem da *pense-color-gia*". Rashid e Haroun demoraram um pouco para perceber que ela queria dizer *psicologia*. A Srta. Onita continuou: "Devido a uma tristeza pense-colór-gica, o rapazinho aqui está cismado com o seu número onze e não consegue chegar ao doze".

"Não é verdade", protestou Haroun; mas em seu coração teve medo de que talvez fosse aquilo mesmo. Será que ele estava parado no tempo como um relógio quebrado? Talvez o problema só fosse resolvido se e quando Soraya voltasse, para fazer os relógios funcionarem outra vez.

Alguns dias depois Rashid Khalifa foi convidado para fazer uma apresentação para uns políticos da Cidade de G, e outra no vizinho Vale de K, aninhado nas montanhas de M. (Devo explicar que no país do Alefbey muitos lugares tinham o nome das letras do Alfabeto. Isso criava muita confusão, pois havia um número limitado de letras e um número quase ilimitado de lugares que precisavam de nomes. O resultado era que muitos lugares eram obrigados a compartilhar o mesmo nome. Com isso, as cartas que as pessoas mandavam viviam chegando no endereço errado. E essa dificuldade ainda piorava com o fato de que havia lugares, como a cidade triste, que esqueciam completamente qual era o seu nome. Os funcionários do Correio tinham de aguentar uma situação chatíssima, como vocês podem imaginar, de modo que às vezes ficavam um pouco exaltados.)

"Temos de ir até lá", disse Rashid a Haroun, enfrentando as coisas com coragem. "Lá na Cidade de G e no Vale de K o tempo ainda está bom, ao passo que aqui, com essa molhadeira toda, parece que até o ar está chorando em cima da gente."

E era verdade que estava chovendo tanto na cidade triste que só de respirar a gente quase se afogava. A Srta. Onita, que acabava de chegar para uma visitinha, concordou com Rashid: "Um plano formidável!". E acrescentou, triste: "Sim, vocês devem ir mesmo, os dois: assim vocês tiram umas feriazinhas. E não precisam se preocupar comigo; eu fico aqui sentada, sozinha, sozinha".

"A Cidade de G não tem nada de especial", disse Rashid a Haroun enquanto o trem os levava até lá. "Mas o Vale de K! Ah, isso já é outra história! Tem campos de ouro e montanhas de prata, e no meio do Vale há um belíssimo Lago, que aliás se chama Lago Sem Graça."

"Se ele é tão bonito, por que não se chama Lago *Interessante*?", perguntou Haroun; e Rashid, num esforço enorme para ficar de bom humor, fez aquele seu velho número de desenhar uns sinais com os dedos no ar e falou, com sua voz mais misteriosa: "Ah, o Lago Interessante!... Bem, isto já é uma *outra* história! Esse é um Lago de Muitos Nomes, sim senhor. É isso aí que ele é".

Rashid continuou tentando parecer que estava feliz. Contou a Haroun sobre a Casa Flutuante Superluxo que estava à espera deles no Lago Sem Graça. Falou sobre as ruínas do castelo encantado que ficava nas montanhas de prata, e sobre os esplêndidos jardins criados pelos antigos Imperadores, com terraços que desciam até as margens do Lago Sem Graça: jardins com fontes e pavilhões cheios de prazeres, onde ainda voavam os espíritos dos antigos reis, transformados em gaviões de penacho. Mas depois de exatamente onze minutos, Haroun parou de ouvir; Rashid também parou de falar, e ficaram em silêncio olhando pela janela do trem, vendo as planícies se desenrolarem monotonamente.

Quem os esperava na Estação Ferroviária da Cidade de G eram dois homens de cara séria, com bigodes enormes e calças de um xadrez amarelo-berrante. "Pra mim esses dois têm cara de bandidos", pensou Haroun, mas guardou sua opinião para si. Os dois homens estavam de carro e levaram Rashid e Haroun direto para o comício político. No caminho passaram por uma porção de ônibus que despejavam gente do mesmo modo que uma esponja solta água, e acabaram chegando a uma densa floresta de seres humanos, uma multidão de gente que se espalhava em todas as direções como as folhas das árvores na floresta. Havia grandes ramalhetes de crianças, e alas de senhoras como fileiras de flores num canteiro gigante. Rashid vinha mergulhado nos seus próprios pensamentos, só abanando a cabeça tristemente.

E foi aí que aconteceu aquilo: Algo Impensável. Rashid subiu no palco diante daquela floresta de gente e Haroun ficou olhando dos bastidores laterais. O pobre contador de histórias abriu a boca e a multidão deu gritinhos excitados; e agora Rashid Khalifa, em pé lá na frente, de boca aberta, descobriu que sua boca estava tão vazia quanto seu coração.

"*Aak*", foi a única coisa que saiu. O Xá do Blá-blá-blá parecia uma vaca idiota: "*Aak, aak, aak*".

Daí foram trancados num escritório quentíssimo e abafadíssimo, e os dois bigodudos de calça xadrez berrante ficaram berrando com Rashid e o acusando de ter aceitado suborno dos rivais lá deles, e dando a entender que poderiam cortar a língua de Rashid e outras partes também. E Rashid, quase em lágrimas, continuava repetindo que não conseguia compreender por que tinha secado, e prometendo que iria compensá-los: "Lá no Vale de K vou estar magnífico", dizia ele, "sensacional, vocês vão ver!".

"É bom mesmo!", gritaram os bigodudos. "Porque senão essa sua língua mentirosa vai sair pra fora da sua garganta!"

"Então, a que horas sai o avião para K?", interrompeu Haroun, esperando acalmar as coisas. (Ele sabia que o trem não passava pelas montanhas.) Os dois homens vociferantes começaram a vociferar ainda mais alto: "Avião? *Avião?* As histórias do papai não conseguem decolar, mas o filhinho quer voar! Nada de avião pra vocês dois, distinto cavalheiro e seu rebento! Peguem a porcaria do ônibus!".

"Minha culpa outra vez", pensou Haroun, sentindo-se muito infeliz. "Fui eu que comecei tudo isso. *Pra que servem essas histórias que nem sequer são verdade?* Fiz essa pergunta, e ela partiu o coração do meu pai. Sendo assim, sou eu que tenho de endireitar a situação. Alguma coisa tem de ser feita!"

O problema é que ele não conseguia descobrir *que coisa.*

2. O EXPRESSO POSTAL

OS DOIS HOMENS vociferantes enfiaram Rashid e Haroun no banco de trás de um carro velho e desconjuntado, com assentos de plástico vermelho todo rasgado, e mesmo com o radinho do carro tocando música de cinema a todo volume, os dois passaram o caminho inteiro vociferando contra a irresponsabilidade dos contadores de histórias, até chegar ao portão enferrujado da Estação Rodoviária. Aqui Haroun e Rashid foram jogados fora do carro sem cerimônia e sem nem um até logo.

"E as despesas da viagem?", perguntou Rashid, cheio de esperanças, mas os dois esbravejantes esbravejaram: "Mais exigências financeiras! Que audácia! Que atrevimento desse sujeitinho!". E partiram com o carro a toda velocidade, espantando os cachorros, as vacas e as mulheres com cestos de frutas na cabeça que passavam na frente. Ainda se ouvia a música barulhenta do rádio e as palavras feias lançadas aos berros, enquanto o carro desembestava em zigue-zague pela estrada.

Rashid nem se deu ao trabalho de sacudir o punho para eles. Haroun o acompanhou até a Bilheteria, passando por um pátio poeirento com as paredes cobertas de estranhos avisos. Um deles dizia:

QUEM QUER SER ULTRAVELOZ
ENCONTRA UM DESTINO ATROZ

outro alertava:

QUEM A ULTRAPASSAGEM ERRA
ACABA DEBAIXO DA TERRA

e também:

CORRER É O SEU DIVERTIMENTO?
FAÇA ENTÃO SEU TESTAMENTO!

"Deviam avisar também que é proibido gritar com os passageiros do banco de trás", Haroun disse baixinho. Rashid foi comprar as passagens.

Em frente ao guichê havia uma luta livre em vez de fila, pois cada um queria ser o primeiro; e como a maioria das pessoas levava galinhas, crianças e outros objetos volumosos, o resultado era um vale-tudo onde voavam penas, brinquedos e chapéus arrancados. E de quando em quando alguém saía do meio do tumulto, estonteado, com as roupas em frangalhos, abanando triunfante um pedacinho de papel: sua passagem! Rashid, respirando fundo, mergulhou no pandemônio.

Enquanto isso, no pátio de estacionamento dos ônibus, pequenas nuvens de poeira corriam daqui para lá, como rodamoinhos no deserto. Haroun percebeu que essas nuvens estavam repletas de seres humanos. Havia gente demais naquele Terminal; os passageiros simplesmente não cabiam nos ônibus. E de qualquer forma ninguém sabia qual ônibus ia sair primeiro, o que permitia aos motoristas fazer uma brincadeira maldosa: um deles ligava o motor, ajustava os espelhos e fazia tudo como se estivesse pronto para partir. Imediatamente um bando de passageiros catava suas malas, cobertores, papagaios e radinhos de pilha e ia correndo até lá. Daí o chofer desligava o motor com um sorriso inocente, enquanto no extremo oposto do pátio outro ônibus dava a partida, e os passageiros saíam correndo outra vez.

"Isso não é justo!", disse Haroun em voz alta.

"Certo!", respondeu um vozeirão de trovão atrás dele, "mas mas mas você há de reconhecer que é muito divertido de se olhar!"

O dono daquela voz era um camarada enorme com um grande topete espetado no alto da cabeça, como um penacho de papagaio. Seu rosto também era todo barbudo, e ocorreu a Haroun que aqueles pelos pareciam um pouco... bem, *pareciam penas*. "Mas que ideia ridícula!", disse para si mesmo. "O que será que me fez pensar uma coisa dessas? Qualquer um vê que é bobagem."

Nisso duas nuvens de passageiros apressados colidiram, numa explosão de guarda-chuvas e batedeiras de bolo e sandálias de corda, e Haroun sem querer começou a rir. "Você é um cara legal!", disse o grandalhão, com sua voz ribombante. "Você enxerga o lado engraçado das coisas! Tá certo que um acidente é uma coisa triste, cruel, mas mas mas... crash! Uau! Bum! Tchararararabum! Como a gente ri e se diverte!" Nesse ponto o grandão se levantou e fez uma reverência para Haroun, dizendo: "Às suas ordens! Meu distinto nome é MasMas, motorista do Super Expresso Postal Número Um, com destino ao Vale de K". Haroun achou que devia inclinar-se também, e disse: "E o meu distinto nome, como diz você, é Haroun".

Daí teve uma ideia e acrescentou: "Se você falou a sério que está às minhas ordens, então, pra dizer a verdade, tem uma coisa que você pode fazer".

"Era apenas uma figura de linguagem!", respondeu o Sr. MasMas. "Mas mas mas eu mantenho a minha palavra. Uma figura de linguagem é uma coisa muito mutável: pode ser direta ou torta. Mas MasMas é um homem direito, não gosta de torcer as coisas. Qual é o seu desejo, meu jovem senhor?"

Rashid sempre falava a Haroun sobre a beleza da estrada que ia da Cidade de G até o Vale de K, uma estrada que subia como uma serpente pelo Desfiladeiro de H até o Túnel de I (também conhecido como J). A neve se acumulava à beira da estrada, e havia fabulosos pássaros multicores que planavam sobre os vales; e quando a estrada saía do Túnel (assim disse Rashid) o viajante tinha diante de si o panorama mais espetacular da face da terra: uma vista do Vale de K, com seus campos de ouro e suas montanhas de prata, e bem no centro o Lago Sem Graça — um cenário que se esparramava como um tapete mágico, só esperando alguém chegar e montar para dar um passeio. "Ninguém consegue ficar triste olhando essa paisagem", Rashid tinha dito, "mas para um cego sua cegueira deve parecer duas vezes pior." Assim, o pedido que Haroun fez ao Sr. MasMas foi o seguinte: os dois lugares da frente no Expresso Postal, a viagem inteira, até o Lago Sem Graça, e a garantia de que o ônibus passaria pelo Túnel de I (também conhecido como J) antes do pôr do sol, pois senão a coisa perderia toda a graça.

"Mas mas mas", protestou o Sr. MasMas, "agora já é tarde..." Vendo que Haroun ficou desapontado, deu um sorriso largo e esfregou as mãos, exclamando: "Mas mas mas e daí? Aquela paisagem linda! Para alegrar seu paizinho tristinho? Antes do pôr do sol? *Não tem problema!*".

E assim, quando Rashid voltou da Bilheteria trançando as pernas, encontrou Haroun já esperando sentado nos degraus do Expresso Postal, com os melhores lugares reservados e o motor esquentando.

Os outros passageiros, ofegantes de tanto correr e cobertos de poeira, que com o suor ia se transformando em lama, olhavam para Haroun com uma mistura de inveja e espanto. Rashid também ficou impressionado: "Como eu já devo ter dito, meu jovem Haroun Khalifa, há em você mais coisas do que parece à primeira vista!".

"Iahuuu!", exclamou o Sr. MasMas, exaltado como qualquer funcionário dos Correios. "Vrruuuum!", gritou ainda, e meteu o pé no acelerador até encostar no chão.

O Expresso Postal passou como um foguete pelos portões da Estação Rodoviária, quase batendo numa parede onde Haroun leu este aviso:

QUEM MUITO CORRE,
LOGO MORRE.

Cada vez mais rápido ia o Expresso Postal; os passageiros, aflitos e apavorados, começaram a gritar e a vaiar. De aldeia em aldeia chispava o Sr. MasMas, dirigindo a duzentos por hora. Haroun notou que em cada aldeia havia um homem esperando no ponto de ônibus da praça, segurando um grande saco de correspondência, e que este homem parecia primeiro confuso e depois furioso, enquanto o Expresso Postal passava a toda, sem sequer diminuir a marcha. Haroun também viu que na traseira do Expresso Postal havia um compartimento especial, separado dos passageiros por uma tela de arame, onde se empilhavam grandes sacos de correspondência, iguaizinhos aos dos homens bravos que ficavam sacudindo o punho nas pracinhas das aldeias. Pelo jeito, o Sr. MasMas tinha se esquecido de entregar e recolher a correspondência!

Por fim, Haroun se inclinou para a frente e perguntou: "A gente não precisa parar para apanhar as cartas?". E logo Rashid, o contador de histórias, reclamou: "Escuta, é necessário mesmo ir depressa assim feito um foguete?".

O Sr. MasMas conseguiu fazer o Expresso Postal chispar ainda mais rápido e, virando para trás, gritou com seu vozeirão: "Não precisa parar? É necessário mesmo ir tão depressa? Bem, meus senhores, uma coisa eu lhes digo: a necessidade é uma serpente escorregadia, isso que ela é! O garoto aqui diz que o senhor, cavalheiro, Precisa de Uma Paisagem Antes do Pôr do Sol, e quem sabe precisa mesmo, talvez sim, talvez não. E há quem possa dizer que o garoto aqui Precisa de Uma Mãe, e quem sabe precisa mesmo, talvez sim, talvez não. E já disseram a meu respeito que MasMas Precisa de Velocidade — mas mas mas pode ser que aquilo de que o meu coração realmente precisa é Uma Emoção Diferente. Sim, a Necessidade é um bicho engraçado: ela faz as pessoas não dizerem a verdade. Todos sofrem dessa doença, mas nem sempre reconhecem". "Hurra!", exclamou então, apontando para a frente. "Neve caindo! Trechos cobertos de gelo! Barreiras desmoronando! Curvas fechadas! Perigo de avalanches! *Pé na tábua!*"

MasMas tinha simplesmente resolvido não parar para apanhar a correspondência, para poder cumprir a promessa feita a Haroun. "*Não tem problema!*", gritou, alegre. "De qualquer jeito, aqui todo o mundo recebe a correspondência dos outros, neste país com tantos mil lugares e tão poucos nomes." O Expresso Postal começou então a subir a toda velocidade pelas Montanhas de M, fazendo curvas aterrorizantes e cantando os pneus. As bagagens (amarradas no bagageiro do teto) começaram a dançar de um lado para o outro de uma maneira assustadora, e os passageiros (que a essa altura já estavam todos parecidos, cobertos de uma poeira espessa que com o suor ia se transformando em lama) começaram a reclamar:

"Minha sacola!", gritou uma mulher-lama. "Seu búfalo desvairado! Seu doido, maluco, tresloucado! Pare com essa correria, senão minhas coisas vão parar no Outro Mundo!"

"Nós é que vamos parar lá, madame", atalhou um homem-lama. "Nós mesmos! Portanto, menos barulho, por favor, por causa dos seus objetos pessoais!" Outro homem-lama interrompeu, zangado: "Olha lá, cuidado! É a minha distinta esposa que o senhor está insultando!". E uma segunda mulher-lama entrou na conversa: "E daí? Já faz um tempão que ela está gritando no distinto ouvido do meu distinto marido; por que ele não haveria de reclamar? Olha só essa magricela lamacenta! Isso é uma mulher ou um palito coberto de lama?".

"Vejam só essa curva!", exclamou o Sr. MasMas. "Ôôôô-pa, que curva fechada! Aqui aconteceu um acidente grave, duas semanas atrás. Um ônibus caiu no abismo, todos os passageiros morreram, sessenta e sete mortos, no mínimo. Meu Deus, que tristeza! Se os senhores desejarem, posso parar para tirarem fotografias."

"Sim, pare, pare!", imploraram os passageiros (qualquer coisa para fazê-lo diminuir a marcha), mas o Sr. MasMas continuou em desabalada carreira. *"Tar-de dema-ais!"*, cantou ele, alegre. "Já ficou lá para trás! Senhoras e cavalheiros, suas solicitações devem ser encaminhadas em tempo hábil para serem atendidas!"

"Fui eu de novo", pensava Haroun. "Se a gente bater agora, se acabarmos estraçalhados em pedacinhos, ou virarmos batatinhas fritas dentro desse ônibus pegando fogo, vai ser minha culpa dessa vez também!"

Agora estavam no alto das Montanhas de M, e Haroun sentia que o Expresso Postal ia a uma velocidade vertiginosa. Já estavam tão alto que avistavam nuvens lá embaixo, pairando sobre os desfiladeiros; a encosta das montanhas estava coberta por uma neve grossa e suja, e os passageiros tremiam de frio. O único som que se ouvia no Expresso Postal era o tiritar dos dentes. Todo o mundo estava em silêncio, um silêncio gélido e apavorado, enquanto o Sr. MasMas se concentrava tanto em dirigir em alta velocidade que até tinha parado de gritar "Iahuuuu!" e de apontar os lugares dos acidentes mais horripilantes.

Haroun tinha a sensação de estar flutuando num mar de silêncio; parecia que uma onda de silêncio os estava levantando a todos, para cima, para cima, para cima, até o pico das montanhas. Sentia a boca seca e a língua imóvel, entorpecida. Rashid também não conseguia emitir nenhum som, nem mesmo um *aak*. "A qualquer momento", pensava Haroun — e sabia que cada passageiro devia estar pensando algo parecido —, "a qualquer momento vou sumir, feito uma palavra que alguém apaga numa lousa. Uma passada de apagador e lá vou eu, desapareço para todo o sempre."

Foi aí que ele viu a nuvem.

O Expresso Postal ia desembestado, contornando a montanha por uma estradinha estreitíssima. À frente havia uma curva tão fechada à direita que parecia que dessa vez o ônibus ia despencar no abismo. Apareceram avisos à beira da estrada alertando sobre o perigo extra, em palavras tão severas que já nem rimavam mais. Um deles dizia: VÁ DEVAGAR OU MORRA DEPRESSA; outro afirmava: CORRA COMO O DIABO E VOCÊ JÁ VAI ENCONTRÁ-LO. Foi aí que uma nuvem densa, toda raiada de cores cambiantes, cores impossíveis, uma nuvem saída de um sonho ou de um pesadelo, subiu de repente do abismo lá embaixo e veio pousar com um *plof* bem em cima da estrada. O ônibus se chocou contra ela assim que fez a curva, e na repentina escuridão que se seguiu, Haroun escutou MasMas pisar no breque com toda a força.

Voltou o barulho: gritos assustados, pneus derrapando. "Pronto, é agora", pensou Haroun — mas aí saíram da nuvem e entraram num lugar com paredes curvas e uma fileira de luzes amarelas no teto.

"O Túnel de I!", anunciou o Sr. MasMas. "Na saída, vista para o Vale de K. Horas que faltam para o pôr do sol: uma. Tempo de percurso no túnel: apenas alguns minutos. Próxima atração: o Panorama. É como eu falei: *não tem problema!*"

Na saída do Túnel de I o Sr. MasMas parou o Expresso Postal para que todos pudessem apreciar o pôr do sol no Vale de K, com seus campos de ouro (que realmente ficavam cor de açafrão), suas montanhas de prata (que realmente estavam cobertas por uma neve cintilante, de um branco puro) e o seu Lago Sem Graça (que não parecia nada sem graça). Rashid Khalifa abraçou Haroun e disse: "Obrigado por arranjar tudo isso para nós, filho, mas reconheço que por um momento pensei que nós é que estávamos bem arranjados, *finito*, *kaput*, *khattam-shud*".

"Khattam-Shud...", repetiu Haroun, franzindo a testa. "Como era mesmo aquela história que você costumava contar...?"

Rashid começou a falar bem devagar, como se estivesse se lembrando de um sonho antigo, muito antigo:

"Khattam-Shud é o Arqui-inimigo de todas as Histórias, até mesmo da própria Língua. É o Príncipe do Silêncio, o Inimigo da Fala. E como tudo acaba, os sonhos acabam, as histórias acabam, a vida acaba, no final de cada coisa nós usamos o seu nome. Dizemos assim: 'Acabou, terminou. Khattam-Shud: Fim'."

"Este lugar já está fazendo bem pra você", notou Haroun. "Acabou o *aak*. Suas histórias malucas já começaram a voltar."

Na descida para o Vale, o Sr. MasMas foi dirigindo devagar e com todo o cuidado. "Mas mas mas não há mais Necessidade de Velocidade, agora que o meu serviço já foi realizado!", explicou ele aos trêmulos homens-lama e mulheres-lama, que então lançaram olhares furiosos para Haroun e Rashid.

Quando a luz já ia sumindo, passaram por uma placa que originalmente dizia BEM-VINDO A K, mas alguém tinha pichado a tabuleta com letras grosseiras e malfeitas, de modo que agora se lia BEM-VINDO A KOSH-MAR.

"O que é Kosh-Mar?", Haroun quis saber.

"Isso é coisa de algum mau-caráter", disse o Sr. MasMas, dando de ombros. "Não é todo o mundo lá no Vale que se sente feliz, como vocês vão ver."

"Essa é uma palavra escrita na antiga língua de Franj, que não se fala mais por aqui", explicou Rashid. "Naqueles dias, muito tempo atrás, o Vale, que hoje se chama simplesmente K, tinha outros nomes. Se me lembro bem, um deles era 'Kache-Mer'. E outro era esse 'Kosh-Mar' que nós vimos na tabuleta."

"Mas esses nomes querem dizer alguma coisa?", perguntou Haroun.

"Todos os nomes querem dizer alguma coisa", respondeu Rashid. "Deixa eu ver... Sim, é isso mesmo: 'Kache-Mer' pode ser traduzido como 'lugar que esconde o mar'. Mas 'Kosh-Mar' já é uma palavra mais grosseira."

"Ah, pai!", pediu Haroun, "agora você tem de dizer!"

Rashid então confessou:

"Nesse idioma antigo, 'Kosh-Mar' significava 'pesadelo'."

Já estava escuro quando o Expresso Postal chegou à Estação Rodoviária de K. Haroun agradeceu ao Sr. MasMas e se despediu. "Mas mas mas", respondeu ele, "na volta estarei aqui pra levar vocês de volta pra casa. E os melhores lugares já estarão reservados, garanto. Venha a seu gosto, estarei no meu posto! E vrruuum! *Não tem problema!*"

Haroun estava com medo de encontrar mais Homens Vociferantes à espera, mas K era um lugar remoto e a notícia da desastrosa apresentação de Rashid na Cidade de G ainda não tinha chegado até lá — as informações chegavam mais devagar do que o Expresso Postal do Sr. MasMas. Assim, foram recebidos pelo Patrão em pessoa, o Chefão do partido que estava no poder no Vale; era ele o candidato às próximas eleições, e era em seu favor que Rashid ia se apresentar. Esse

Chefão era um sujeito de cara tão lustrosa, e usava uma calça e uma jaqueta tão bem passadas e engomadas, que seu bigodinho espetado debaixo do nariz parecia emprestado de outra pessoa: não combinava com uma cara tão lisa e oleosa.

Esse fulano escorregadio cumprimentou Rashid com um sorriso de artista de cinema, tão insincero que Haroun sentiu até enjoo: "Estimado Senhor Rashid, que honra para nós! É uma verdadeira lenda viva que vem nos visitar!". "Se Rashid fizesse fiasco no Vale de K como tinha feito na Cidade de G", pensou Haroun, "esse sujeito ia mudar o disco rapidinho." Mas Rashid parecia satisfeito com aquela bajulação, e nas atuais circunstâncias qualquer coisa que o deixasse mais alegre valia a pena aguentar... "Meu nome", disse o sujeito oleoso, inclinando de leve a cabeça e batendo os calcanhares em continência, "é MasDemais."

"Quase o mesmo nome do motorista do Expresso Postal!", exclamou Haroun, e o Brilhantina com aquele bigodinho de rato gritou horrorizado, agitando os braços: "Não senhor, absolutamente! Meu nome não é igual ao nome de motorista nenhum! Meu Deus do céu, você sabe com quem está falando? Eu lá tenho cara de chofer de ônibus?".

"Bom, desculpe", começou Haroun, mas o Sr. MasDemais já estava indo embora a passos duros, de nariz pra cima. Virando-se para trás, ordenou: "Respeitado Senhor Rashid, para as margens do Lago! Os carregadores trarão suas malas".

Nos cinco minutos de caminhada até as margens do Lago Sem Graça, Haroun começou a se sentir muito incomodado. O Sr. MasDemais e seu grupo (que agora incluía Rashid e Haroun) estavam permanentemente rodeados por exatamente cento e um soldados armados até os dentes; e mesmo as pessoas comuns que Haroun via nas ruas tinham uma expressão extremamente hostil. "Esta cidade tem um astral ruim", pensou consigo. Quando se mora numa cidade triste, a gente reconhece a infelicidade quando topa com ela. Dá pra sentir o cheiro dela no ar da noite, quando a fumaça dos carros e dos caminhões já se dissipou e o luar deixa tudo mais claro. Rashid tinha vindo ao Vale porque se lembrava de que este era o mais alegre dos lugares, mas era evidente que os problemas já tinham encontrado o caminho até lá.

"Esse MasDemais não deve ser muito popular por aqui, já que precisa de tantos soldados para protegê-lo", pensou Haroun. Queria cochichar pra Rashid que talvez o brilhantina de bigodinho não fosse a pessoa certa para se apoiar numa eleição, mas sempre havia soldados por perto que poderiam escutar. Nisso chegaram ao Lago.

À espera deles estava um barco em formato de cisne. "Tudo do bom e do melhor para o distinto Senhor Rashid!", disse o pernóstico MasDemais, com sua voz melosa. "Hoje o senhor é meu convidado; vai ficar hospedado na melhor casa flutuante que existe no Lago. Espero que as acomodações não sejam demasiado humildes para uma celebridade tão ilustre como o senhor!" Haroun compreendeu que, embora o Brilhantina parecesse educado, na verdade estava insultando Rashid. Por que seu pai aguentava aquilo? Irritado, Haroun entrou no barco-cisne. Os remadores, de uniforme militar, já estavam a postos e começaram a remar.

Haroun olhou para a água do Lago Sem Graça. Parecia estar cheia de estranhas correntes, que se entrelaçavam formando complexos desenhos. Daí o barco-cisne passou ao lado de uma coisa que parecia um tapete flutuando sobre a superfície da água. "É um Jardim Flutuante", explicou Rashid. "Eles trançam as raízes de lótus para fazer um tapete, e assim conseguem plantar verduras bem aqui, no meio do Lago." Como sua voz estava outra vez com um tom melancólico, Haroun murmurou: "Não fique triste, pai".

"Triste? Infeliz?", exclamou o Brilhantina. "Não é possível que o eminente Senhor Rashid esteja insatisfeito com a organização do evento!" Rashid, o contador de histórias, era incapaz de inventar histórias sobre si mesmo, e assim respondeu com sinceridade: "Não senhor, não é nada disso. É um problema do coração".

"Pra que você foi contar isso pra ele?", pensou Haroun, furioso, mas o Brilhantina ficou deliciado com a revelação: "Não se preocupe, extraordinário Senhor Rashid!", exclamou, sem o menor tato. "Quem sabe ela o abandonou, *mas o oceano tem mil bocas, e no mar há muitos peixes!*"

"Peixes?", pensou Haroun, bufando de raiva. "Foi peixe que ele falou?" E por acaso sua mãe era uma panfrita? Iria agora ser comparada a uma peixosa, ou a um tubarão? Falando sério, Rashid devia dar uma surra nesse MasDemais, acertar um murro bem no meio daquele nariz empinado!

O contador de histórias ia mergulhando a mão languidamente nas águas do Lago Sem Graça. Suspirou então: "Ah, mas a gente precisa viajar muito, muito longe, até encontrar um Peixe-Anjo!".

Como em resposta a essas palavras, o tempo mudou. Um vento quente começou a soprar e uma neblina veio chegando, atravessando o Lago a toda velocidade. Dali a um segundo ninguém conseguia enxergar mais nada.

"Quem quer saber de Peixe-Anjo", pensou Haroun. "Neste momento não consigo encontrar nem a ponta do meu nariz."

3. O LAGO SEM GRAÇA

HAROUN JÁ TINHA SENTIDO O CHEIRO da infelicidade no ar da noite, um repentino nevoeiro que realmente fedia a tristeza e baixo astral. "A gente devia ter ficado em casa", pensou. "Lá o que não falta é gente de cara fechada."

"Fuuu!", ouviu-se a voz de Rashid Khalifa, através daquela neblina amarelo-esverdeada. "Quem foi que fez esse cheiro? Vamos lá, confesse!"

"É a neblina", explicou Haroun. "É a Névoa Malévola." Mas imediatamente o Brilhantina exclamou: "Tolerante Senhor Rashid! Parece que o garoto está querendo acobertar com invencionices o mau cheiro que ele mesmo acaba de produzir. Temo que ele seja muito parecido com o povo deste Vale: os tolos aqui são loucos por um faz de conta! Ah, cada coisa que eu tenho de aguentar! Meus inimigos contratam sujeitinhos ordinários para encher a cabeça do povo com histórias negativas a meu respeito, e os ignorantes engolem tudo como um leitinho morno! Por esse motivo fui procurar o senhor, eloquente Senhor Rashid. O senhor lhes contará histórias alegres, histórias elogiosas a meu favor, e as pessoas acreditarão no senhor, ficarão felizes e votarão em mim".

Assim que MasDemais pronunciou essas palavras, um vento quente e áspero começou a soprar através do Lago. A neblina se dispersou, mas o vento começou a queimar o rosto, e as águas do Lago se tornaram violentas e cheias de ondas.

"Este Lago não é nada Sem Graça!", exclamou Haroun. "Na verdade, ele é totalmente Temperamental!" Assim que essas palavras saíram dos seus lábios, caiu uma moedinha no seu colo. Haroun concluiu: "Já sei, esta aqui deve ser a Terra Temperamental!".

Bem, acontece que a Terra Temperamental era uma das histórias mais queridas de Rashid Khalifa. Era um país mágico que mudava constantemente, conforme o estado de espírito dos habitantes. Nessa Terra o sol brilhava a noite toda se houvesse bastante gente alegre, e continuava a brilhar até que aquela luz interminável deixava todo o mundo nervoso; daí caía uma noite irritada, cheia de reclamações e resmungos, e o ar parecia tão pesado que nem dava para respirar. E quando as pessoas ficavam zangadas a terra tremia; e quando ficavam confusas ou inseguras a Terra Temperamental também ficava confusa — o contorno dos prédios, dos postes de luz e dos automóveis ficava borrado como um quadro com as tintas escorridas, e em momentos assim às vezes era difícil distinguir onde uma coisa terminava e a outra começava... "Estou certo, pai?", perguntou Haroun. "É esse aqui o lugar daquela história?"

Fazia sentido: Rashid estava tão triste que a Névoa Malévola envolveu todo o barco-cisne; e o tal do MasDemais, o Brilhantina, era tão "cheio de vento" que naturalmente tinha provocado aquela ventania escaldante!

"Não, Haroun, a Terra Temperamental é apenas uma história", respondeu Rashid. "Aqui nós estamos num lugar de verdade." Quando Haroun ouviu seu pai dizer *é apenas uma história*, compreendeu que o Xá do Blá-blá-blá devia estar mesmo numa tremenda depressão, pois só um desespero profundo poderia fazê-lo dizer uma coisa tão terrível.

Enquanto isso, Rashid discutia com o Brilhantina: "Mas o senhor não vai querer que eu conte só historinhas água com açúcar! Nem todas as histórias boas são assim! Às vezes as pessoas adoram uma história tristíssima, a mais lacrimejante, se acharem que é uma história bonita!".

O Brilhantina ficou uma fera: "Absurdo, absurdo! As

cláusulas do seu contrato são claras e cristalinas! Para mim o senhor vai fazer o favor de providenciar apenas narrativas animadoras, otimistas. Nada de histórias lacrimejantes! Se quer moedas a tilintar, então trate de alegrar!".

Imediatamente o vento quente começou a soprar com redobrada força, e enquanto Rashid afundava num silêncio infeliz, a névoa amarelo-esverdeada com aquele cheiro de banheiro veio soprando pelo Lago a toda velocidade. A água ficou mais enfurecida do que nunca; as ondas açoitavam o casco do barco-cisne, que balançava de lá para cá de uma maneira assustadora, como se reagisse à fúria de MasDemais (e também, para falar a verdade, à raiva cada vez maior que Haroun sentia pelas atitudes dele).

Mais uma vez a Névoa Malévola envolveu o barco-cisne, e mais uma vez Haroun não conseguia enxergar nada. E só ouvia sons de pânico: os remadores uniformizados gritando *Ai, ai, ai! Agora a casa cai!*, e os berros furiosos de MasDemais, que parecia considerar as condições atmosféricas como um insulto pessoal; e quanto mais gritos e berros se ouviam, mais bravo ficava o Lago, e mais violento e quente soprava o vento. Relâmpagos e trovões faiscavam na neblina, criando estranhos efeitos de luz néon.

Haroun decidiu então que a única solução era pôr em prática sua teoria da Terra Temperamental: "Pessoal!", gritou no meio da névoa. "Escutem! É muito importante! Todo mundo tem de parar de falar! Silêncio total, é importantíssimo! Quando eu contar até três, nem mais uma palavra! Zíper na Boca!" E disse isso com um tom de autoridade na voz, algo novo que surpreendeu até a ele mesmo; e o resultado foi que os remadores, assim como MasDemais, lhe obedeceram sem um murmúrio. No mesmo instante o vento quente parou de soprar; cessaram os raios e os trovões. Daí Haroun fez um esforço consciente para controlar sua irritação contra Mas-Demais, e no mesmo instante em que seu ânimo esfriou as ondas se acalmaram. Porém a névoa malcheirosa continuava a envolvê-los.

"Pai", disse Haroun, "vou te pedir uma coisa, uma coisa só. Faça isso por mim: lembre-se dos melhores momentos da sua vida. Pense na vista do Vale de K, que nós vimos quando saímos do Túnel de I. Pense no dia do seu casamento. Por favor!"

Dali a alguns momentos aquela neblina fétida começou a se abrir como uma camisa velha que se rasga em pedaços, e foi varrida por uma fresca brisa noturna. A lua voltou a brilhar sobre as águas do Lago.

"Está vendo, pai", disse Haroun, "afinal de contas não era *apenas uma história*!"

Rashid chegou a rir de satisfação, dizendo com muita ênfase e acenos de cabeça: "Sim senhor! Haroun Khalifa, você é o homem certo para uma situação difícil! Pra você eu tiro meu chapéu!".

"Ingênuo Senhor Rashid!", exclamou MasDemais, "não é possível que o senhor acredite que esse garoto andou fazendo uns abracadabras. Condições climáticas excepcionais apareceram e depois desapareceram. Nada mais que isso!"

Haroun guardou para si seus sentimentos sobre o Brilhantina. Uma coisa ele sabia: que o mundo real era cheio de mágica, de modo que os mundos mágicos podiam muito bem ser reais.

A casa flutuante se chamava *As Mil e Duas Noites*, pois (como disse MasDemais com muita empáfia) "nem nas Mil e Uma Noites existe algo assim". Cada janela tinha o formato de alguma ave, peixe ou animal fantástico: o Pássaro-Roca de Simbad, o Marujo, a Baleia Engolidora de Homens, o Dragão que Solta Fogo e assim por diante. Pelas janelas jorrava luz, de modo que esses monstros fabulosos eram visíveis a distância, brilhando na escuridão.

Haroun acompanhou Rashid e o Sr. MasDemais. Subiram uma escada até uma varanda de madeira, entalhada com intrincados desenhos, e chegaram a um salão cheio de candelabros de cristal e cadeiras que pareciam tronos, com almofadas ricamente bordadas; as mesas eram esculpidas em nogueira, parecendo árvores de copa plana, onde se viam pequeninos pássaros e também seres que pareciam crianças de asinhas, mas que, naturalmente, eram fadas. As paredes eram forradas de prateleiras com livros encadernados em couro, mas a maioria era de mentira: serviam para esconder barzinhos de bebidas e armários de vassouras. Uma prateleira, porém, tinha uma série de livros de verdade, escritos numa língua que Haroun não conseguia compreender, e ilustrados com os desenhos mais estranhos que ele já tinha visto.

"Erudito Senhor Rashid!", disse MasDemais. "O senhor, na sua área de trabalho, haverá de se interessar por estes livros. Aqui, para seu deleite e edificação, está uma coleção completa de contos, chamada *O mar dos fios de histórias*. Se por acaso o senhor esgotar seu material, aqui o encontrará em abundância."

"Esgotar meu material? O que o senhor está dizendo?", perguntou Rashid indignado, sentindo medo, de repente, de que MasDemais já estivesse sabendo daquela coisa terrível que tinha acontecido na Cidade de G. Porém o Brilhantina lhe deu uns tapinhas no ombro: "Ah, melindroso Senhor Rashid! Foi só uma brincadeira, uma leviandade passageira, uma nuvem que a brisa leva embora. É claro que nós aguardamos o seu recital com toda a confiança!".

Mas Rashid estava afundado na depressão outra vez. Já era hora de dar o dia por encerrado.

Os remadores uniformizados levaram Rashid e Haroun até seus respectivos quartos, que eram ainda mais opulentos do que o salão. No centro exato do quarto de Rashid ficava um enorme pavão de madeira pintada. Com gestos elegantes, os remadores retiraram as costas do pavão, surgindo então uma cama grande e confortável. Haroun ficou com o quarto ao lado, onde encontrou uma tartaruga igualmente gigantesca, que também se transformou numa cama quando os remadores tiraram sua carapaça. Haroun achou um tanto esquisito dormir dentro de uma tartaruga sem casca, mas lembrando-se dos seus bons modos, falou: "Muito obrigado, é tudo muito agradável".

"Muito agradável?", repetiu o Brilhantina lá da porta. "Ora, ora, seu rapazelho inconveniente, lembre-se de que o senhor está a bordo do *Mil e Duas Noites*! 'Muito agradável' não basta, de maneira nenhuma! Reconheça que tudo aqui é Super-Hipermaravilhoso, *Inacreditábilis*, e inteiramente *Fantásticus*!"

Rashid lançou para Haroun um olhar que dizia: "Nós devíamos ter jogado esse cara no Lago quando tivemos chance", e interrompeu os gritos de MasDemais: "De fato, como disse Haroun, tudo é realmente muito agradável. Agora, com licença, nós vamos dormir. Boa noite".

MasDemais retirou-se para o barco-cisne em grandes passadas, extremamente ofendido. Sua última observação foi:

"Hóspedes sem bom gosto nos lançam os presentes no rosto! Amanhã, ingrato Senhor Rashid, será a sua vez. Vamos ver se o seu público vai achar que o senhor é 'muito agradável'!"

Naquela noite foi difícil para Haroun adormecer. Ficou deitado nas costas da tartaruga, com a sua camisola preferida (comprida, de um vermelho forte com desenhos roxos), virando e revirando na cama, e quando, por fim, estava quase pegando no sono, acordou com uns barulhos vindos do quarto de Rashid, logo ao lado: estalos, gemidos, resmungos, e logo uma lamentação em voz baixa:

"Não adianta, não vou conseguir! Cheguei no fim, ponto final!"

Haroun foi na ponta dos pés até a porta que ligava os dois quartos, e com o máximo cuidado abriu um pouquinho, só uma frestinha, e espiou lá dentro. Viu então o Xá do Blá-blá-blá com uma camisola azul lisa, sem nenhum desenho roxo, andando em volta da sua cama de pavão com uma cara infeliz, resmungando sozinho e fazendo estalar e ranger as tábuas do assoalho.

"'Só histórias elogiosas', imagine só! Eu sou o Mar de Ideias, não sou nenhum office boy para ficar recebendo ordens! Mas não, que bobagem é essa! Vou subir no palco e não vou encontrar nada na minha boca, nadinha, só um *aak*. E aí eles vão me picar em pedacinhos, vai ser o meu fim! *Finito, kaput, khattam-shud!* É melhor eu parar de me iludir, desistir de tudo, me aposentar, cancelar minha assinatura. A mágica desapareceu, acabou-se pra sempre depois que ela foi embora."

Daí Rashid olhou para a porta e perguntou em voz alta: "Quem está aí?". Não tinha jeito; Haroun foi obrigado a dizer: "Sou eu. Não consigo dormir. Acho que é essa tartaruga, ela é muito esquisita".

Rashid concordou, sério: "Engraçado, eu também estou com problemas com esse pavão. Pra mim uma tartaruga seria bem melhor. Que tal o pavão?".

"Muito melhor. Acho que com o pavão não tem problema."

E foi assim que Haroun e Rashid trocaram de quarto; e foi por isso que o Gênio da Água, que aquela noite visitou o *Mil e Duas Noites*, ao entrar de mansinho no Quarto do Pavão, encontrou ali um menino acordado, mais ou menos do seu tamanho, olhando para ele bem na cara.

Para ser exato: Haroun acabava de pegar no sono quando foi acordado por estalos, rangidos, gemidos e resmungos;

assim, a primeira coisa que lhe ocorreu foi que seu pai devia estar achando a tartaruga tão difícil para dormir quanto o pavão. Daí percebeu que o barulho não vinha do Quarto da Tartaruga, mas do seu próprio banheiro. A porta do banheiro estava aberta, e quando Haroun fixou a vista viu uma silhueta desenhada contra a luz acesa, uma figura tão extraordinária que quase não se pode descrever.

No lugar da cabeça tinha uma enorme cebola, e no lugar das pernas, duas imensas beringelas; numa mão segurava uma caixa de ferramentas, e na outra uma coisa parecida com uma chave inglesa. Um ladrão!

Haroun foi até o banheiro na ponta dos pés. Lá dentro a criatura falava baixinho sem parar, resmungando:

"Põe, tira, põe, tira... Só porque o camarada vem até aqui, eu tenho de vir também pra fazer a instalação. Tudo às pressas, e com todo o trabalho que eu já tenho! Daí — pimba, ele cancela a assinatura! E adivinha quem tem de vir até aqui outra vez pra retirar o equipamento? E tudo às pressas, no mesmo instante, parece que a casa está pegando fogo! — Bem, onde será que eu pus o diabo do negócio? — Será que alguém andou mexendo nas minhas coisas? Não se pode mais confiar em ninguém. — Tá bom, tá bom, vamos por partes. Olha o método! — Torneira quente, torneira fria; entrar bem no meio das duas; um palmo para cima no ar, e aí deve estar a Torneira das Histórias. — Mas onde será que ela foi parar? Quem foi que tirou ela daqui? — Ôôôôpa! Que é isso? Ah-ah! É aqui que você está! Pensou que podia se esconder de mim, hein, sua engraçadinha? Mas agora eu te peguei! Muito bem, Hora de Desligar!"

Enquanto ouvia esse extraordinário monólogo, Haroun Khalifa foi se aproximando devagar, bem devagarzinho, até encostar a metade de um olho no umbral da porta. E lá dentro do banheiro viu um homenzinho da sua altura, parecendo muito velho, com um enorme turbante roxo na cabeça (era a "cebola") e uma espécie de pijama de seda com as pernas bem bufantes, presas nos tornozelos (eram as duas "berinjelas"). Esse homenzinho tinha um par de suíças impressionantes, vastíssimas e de uma cor totalmente fora do comum: um azul-céu bem clarinho, delicadíssimo.

Haroun nunca tinha visto ninguém de barba azul e, curioso, se inclinou um pouquinho para a frente; com isso, para seu grande susto, a tábua do assoalho deu um estalo bem alto, indisfarçável. O barba-azul se virou de repente, deu três voltas completas e desapareceu; mas na pressa deixou cair a tal da chave inglesa. Haroun entrou no banheiro correndo, pegou a ferramenta e a segurou bem firme.

Devagar, e de um jeito muito esquisito (embora fosse difícil ter certeza disso, pois era a primeira vez que Haroun via alguém se materializar), o pequenino barba-azul apareceu de novo no banheiro. E foi logo dizendo: "Chega de brincadeira, já basta, acabou a festa. Passe isso pra cá".

"Não", respondeu Haroun.

"O Desconector aí", o outro apontou com o dedo. "Pode passar pra cá. De volta ao remetente, a César o que é de César; desista, renda-se, bandeira branca."

Foi então que Haroun notou que a ferramenta que ele estava segurando não era uma chave inglesa, assim como a cabeça do barba-azul também não era uma cebola: em outras palavras, o contorno era de chave inglesa, mas não era sólida e sim mais ou menos fluida, e feita de milhares de veiazinhas por onde corriam líquidos de diferentes cores, tudo isso unido por alguma força invisível, inacreditável. Era linda.

"Só vou devolver se você me disser o que está fazendo aqui", disse Haroun com firmeza. "Você é ladrão? Devo chamar a polícia?"

"Missão impossível de divulgar", disse o homenzinho, emburrado. "Segredo de Estado, altamente confidencial, *top secret*; e certamente não é para ser revelado a nenhum garotinho metido a esperto, de camisola vermelha com desenhos roxos, que pega o que não lhe pertence e ainda chama a gente de ladrão."

"Muito bem", disse Haroun. "Nesse caso, vou acordar meu pai."

"Não!", cortou o barba-azul no mesmo instante. "Nada de adultos. É o regulamento: terminantemente proibido. Se eu desobedecer às normas, perco o emprego. Ai, eu sabia que hoje ia ser um dia terrível!"

"Estou esperando", disse Haroun, severo.

O camaradinha se empertigou em toda a sua alturinha e disse, zangado: "Sou Iff, o Gênio da Água. Alguns me chamam de E-Se. Venho do Mar dos Fios de Histórias".

O coração de Haroun bateu com força: "Meu pai já me falou desses Gênios. Será que você é mesmo um deles?".

O outro fez uma reverência:

"Fornecedor da Água de Histórias do Grande Mar de Histórias. Precisamente; o próprio, em pessoa; sou eu mesmo. Contudo, lamento informar que o cavalheiro não está mais solicitando os nossos serviços; interrompeu suas atividades narrativas, jogou a toalha, pendurou as chuteiras. Cancelou a assinatura. E este é o motivo da minha presença: vim efetuar a Desconexão. E para este fim, por gentileza, queira devolver meu Desconector."

"Ainda não", disse Haroun, que estava com a cabeça girando, não só com a descoberta de que realmente existiam Gênios da Água e que o Grande Mar de Histórias não era *apenas uma história*, mas também com a revelação de que Rashid tinha desistido, renunciado, fechado a boca. Falou então para o Gênio: "Não acredito no que você disse. Como foi que ele mandou essa mensagem? Tenho estado com ele quase o tempo todo!".

Iff deu de ombros:

"Mandou pelo método de costume: um PCD+P/EX."

"O que é isso?"

"É óbvio", disse o Gênio da Água com um sorrisinho malicioso. "Um Processo Complicado Demais Para Explicar." Vendo como Haroun ficou ansioso, acrescentou: "Neste caso específico, foi feito através de Ondas do Pensamento. Nós sintonizamos e escutamos os pensamentos dele. Trata-se de uma tecnologia de ponta".

"Seja de ponta ou sem ponta", retrucou Haroun, "desta vez você cometeu um erro, cochilou, se enganou, trocou as bolas." Haroun percebeu que estava começando a falar igual ao Gênio da Água, e sacudiu a cabeça com força para clarear as ideias. "Meu pai não desistiu não, de jeito nenhum! Você não pode cortar assim o suprimento dele de Água de Histórias!"

"São ordens", disse Iff. "Todas as dúvidas devem ser encaminhadas ao Grande Controlador."

"Grande Controlador do quê?", perguntou Haroun.

"Dos Processos Complicados Demais Para Explicar, naturalmente. Lá no Departamento dos PCD+P/EX, na Cidade de Gup, em Kahani. Todas as cartas devem ser dirigidas ao Leão Marinho."

"Quem é o Leão Marinho?"

"Você não consegue se concentrar? Lá no Departamento dos PCD+P/EX, na Cidade de Gup, trabalham muitas pessoas de inteligência brilhante, mas há só um Grande Controlador. Eles são os Cabeças de Ovo, e ele é o Leão Marinho. Certo? Entendeu agora?"

Haroun absorveu todas essas informações e perguntou: "E como é que a carta chega até lá?". O Gênio da Água deu uma risadinha e disse: "Não chega! Percebe a beleza do plano?".

"Não percebo beleza nenhuma", respondeu Haroun. "E, seja como for, mesmo se você desligar essa sua Água de Histórias, meu pai vai continuar sendo capaz de contar histórias."

"Qualquer um consegue contar histórias", respondeu Iff. "Por exemplo, os mentirosos, os malandros, os vigaristas. Mas quando se trata de histórias com aquele Ingrediente Extra — ah, para estas até os melhores contadores precisam da Água de Histórias. Contar histórias é como andar de carro: precisa de combustível! Quem fica sem a Água acaba simplesmente sem Energia."

Haroun argumentou:

"Por que é que eu vou acreditar nisso que você está dizendo, se não estou vendo nada de mais neste banheiro? Aqui só tem essas coisas comuns: banheira, privada, pia, e duas torneiras absolutamente normais, marcadas Fria e Quente."

"Ponha a mão aqui", disse o Gênio da Água, apontando para um pedaço de ar, um palmo acima da pia. "Pegue a Ferramenta de Desconexão e dê uma batidinha aqui nesse espaço, que você acha que está vazio, sem nada."

Duvidando muito, desconfiando de algum truque, e só depois de pedir ao Gênio da Água que ficasse bem para trás, Haroun fez o que ele disse. E *ting*!, fez a Ferramenta, ao bater em alguma coisa extremamente sólida e extremamente invisível.

"Lá está ela!", exclamou o Gênio da Água, com um largo sorriso. "A Torneira de Histórias, ela mesma, *voilà*."

"Ainda não compreendi", disse Haroun, franzindo a testa. "Afinal, *onde* fica esse tal desse Mar de Histórias? E como é que a Água de Histórias entra nesta Torneira Invisível? E como é que o encanamento funciona?" Viu então um brilho malicioso nos olhos de Iff, e com um suspiro respondeu à sua própria pergunta: "Já sei, já sei, não precisa dizer. É um Processo Complicado Demais Para Explicar".

"Certíssimo", disse o Gênio da Água. "Acertou na mosca, cem por cento, tiro e queda."

E então Haroun Khalifa tomou uma decisão que haveria de ser a mais importante da sua vida. "Senhor Iff", falou, educadamente mas com firmeza, "você tem de me levar até a Cidade de Gup para falar com o Leão Marinho. Preciso corrigir esse engano estúpido sobre o suprimento de Água do meu pai, antes que seja tarde demais." Iff abriu bem os braços e abanou a cabeça: "Impossível! Não dá, não está no programa, nem sonhando. O acesso à Cidade de Gup, em Kahani, à beira do Mar dos Fios de Histórias, é restrito, expressamente proibido, cem por cento interditado, exceto a pessoas autorizadas, como eu, por exemplo. Mas você? Sem chance, nem pensar, nem daqui a mil anos".

"Nesse caso", disse Haroun com uma vozinha doce, "você vai ter de voltar sem isso aqui", e sacudiu a Ferramenta de Desconexão bem na cara do barba-azul. "Vamos só ver se *Eles* lá vão gostar de ver você aparecer sem isso!"

Houve um longo silêncio.

"Tá bom", disse o Gênio da Água. "Tudo bem, concordo, negócio fechado. Então vamos, tá na hora, pé na tábua. Já que é pra ir, vamos já."

Haroun sentiu seu coração cair lá no pé e, gaguejando, perguntou: "Que-quer dizer, va-vamos *a-agora*?".

"Agora, agorinha, já já!"

Haroun respirou fundo:

"Tá bom. Então vamos!"

4. UM SE E UM MAS

"BOM, ENTÃO ESCOLHA UM PÁSSARO", disse o Gênio da Água. "Qualquer pássaro."

Esse era um pedido estranho. Haroun fez uma observação sensata: "O único pássaro que tem por aqui é esse pavão de madeira". Iff fez um muxoxo de desprezo: "Humpf! É possível escolher uma coisa que não se pode ver, sabia?". Falou isso como se explicasse algo extremamente óbvio para uma pessoa extremamente tola. "Pode-se dizer o nome de um pássaro mesmo que a criatura não esteja presente, e dizer corretamente: águia, corvo, papagaio, beija-flor, mainá, bulbul. A pessoa pode até escolher uma criatura voadora que ela mesma inventou, como, por exemplo, cavalo alado, tartaruga voadora, baleia aérea, serpente espacial, aerorrato. Dar para uma coisa um nome, um rótulo, um cabo para se segurar; salvá-la do anonimato, tirá-la fora do Lugar Sem Nome, em suma, identificá-la — eis um jeito de fazer com que a referida coisa passe a existir. Ou, neste caso, o referido pássaro, ou Organismo Voador Imaginário."

"Isso pode ser verdade no lugar de onde você veio", disse Haroun. "Mas aqui nesta terra existem regras mais estritas."

"Nesta terra", atalhou o barba-azul, "estou perdendo meu tempo com um Ladrão de Desconectores que não acredita em nada que ele não vê com seus próprios olhos. Me diga uma coisa, seu Ladrãozinho: quantas coisas você já viu, hein? A África, por exemplo, você já viu? Não? Então, será que ela existe mesmo? E os submarinos? Hein? E os icebergs? E as bolas de beisebol? Um pagode, uma mina de ouro, um canguru? O Monte Fujiama, o Polo Norte? E o passado, será que aconteceu mesmo? E o futuro, será que vai chegar? Acredite nos seus próprios olhos e você vai se meter numa bela duma encrenca, duros apuros, confusão de montão!"

Nisso enfiou a mão no bolso do seu pijama de berinjela e, quando a tirou, tinha o punho bem fechado. "Venha cá, dê uma olhadinha, uma espiadela no que tem aqui dentro." Abriu a mão, e os olhos de Haroun quase saltaram pra fora das órbitas.

Minúsculos passarinhos caminhavam pela palma da mão de Iff, bicando, esvoaçando e batendo suas asinhas pequeninas. E além de pássaros havia também fabulosas criaturas aladas, saídas de diversas lendas: um leão assírio com cabeça de homem barbudo e duas grandes asas recobertas de pelos, que saíam dos seus flancos; e ainda macacos com asas, discos voadores, anjinhos diminutos, peixes que levitavam (e pelo jeito respiravam muito bem no ar). "Satisfaça seu desejo, selecione, pode escolher!", disse Iff. E embora parecesse óbvio para Haroun que essas criaturas mágicas eram tão pequenininhas que não poderiam levar nas costas nem mesmo um pedacinho de unha roída, resolveu não discutir e apontou para um minúsculo pássaro de penacho, que estava lhe lançando um olhar de lado com um olho extremamente inteligente.

"Quer dizer que vamos de Gavião de Penacho!", disse o Gênio da Água, parecendo impressionado. "Não sei se você sabe, seu Ladrãozinho de Desconectores, que nas antigas histórias é o Gavião de Penacho quem conduz todos os outros pássaros, através de uma série de lugares perigosos, até o objetivo final. Bem, quem sabe, Jovem Gatuno, quem você é na realidade? Mas agora não temos tempo para especulações", concluiu, e correndo até a janela, atirou o micro-gaviãozinho lá fora, para dentro da noite.

"Mas por que você fez isso?", perguntou Haroun num sussurro, para não acordar seu pai; e Iff deu seu sorriso malicioso e respondeu com ar inocente: "Uma ideia boba. Um capricho, um desejo passageiro. Não que eu saiba mais sobre essas coisas do que você, ah, isso não, de jeito nenhum!".

Haroun correu até a janela e viu o Gavião de Penacho deslizando sobre o Lago Sem Graça, já crescido, do tamanho de uma cama de casal, tão grande que havia lugar de sobra para um Gênio da Água e um menino montarem nas suas costas.

"E lá vamos nós!", cantarolou Iff, alto demais, na opinião de Haroun; o Gênio da Água então pulou rápido no parapeito da janela e daí saltou para as costas do Gavião — e Haroun, mal tendo um momento para refletir se estava fazendo uma coisa sensata, e ainda com a sua longa camisola vermelha com desenhos roxos e segurando firmemente o Desconector na mão esquerda, seguiu o Gênio. Quando se acomodou atrás de Iff, o Gavião virou a cabeça para trás e o examinou com um olho crítico mas (assim esperava Haroun) amistoso.

Daí levantaram voo e subiram rapidamente para o céu.

A força da aceleração fez Haroun mergulhar fundo nas penas das costas do Gavião, penas confortáveis, espessas e que davam a estranha impressão de ser *peludas*; penas que pareciam envolvê-lo e protegê-lo durante o voo. Haroun levou alguns momentos para digerir aquela quantidade de coisas espantosas que tinham acontecido em tão pouco tempo.

Logo estavam voando tão depressa que a Terra lá embaixo e o céu lá em cima se dissolveram num borrão, o que deu a Haroun a sensação de que não estavam avançando, mas simplesmente pairando naquele espaço impossível, difuso, indistinto. Lembrou-se então: "Quando MasMas, o motorista do Expresso Postal, ia subindo como um foguete pelas Montanhas de M, tive essa mesma sensação de estar flutuando. E pensando nisso, esse Gavião de Penacho com essa crista de penas me lembra muito o velho MasMas, com aquele topete espetado bem no cocuruto da cabeça! E se as barbas de MasMas eram meio parecidas com penas, as penas deste Gavião, como notei assim que nós decolamos, são parecidíssimas com pelos".

A velocidade voltou a aumentar, e Haroun gritou no ouvido de Iff: "Nenhum pássaro voa tão depressa! Isto é uma máquina?".

O Gavião-Avião o fixou com seu olho reluzente: "Você por acaso tem alguma objeção contra as máquinas?", perguntou, num vozeirão de trovão idêntico à voz do motorista do Expresso Postal. E logo continuou: "Mas mas mas você confiou sua vida a mim! Será que não mereço um pouco do seu respeito? As máquinas também têm autoestima. Não precisa abrir a boca desse jeito, meu jovem, não posso fazer nada se eu o faço lembrar alguém; pelo menos, como se trata de um motorista, aquele é um sujeito que sabe apreciar uma boa máquina voadora, rápida e veloz".

"Você lê os meus pensamentos!", disse Haroun de uma maneira um tanto acusadora, pois não era uma sensação muito agradável saber que as ruminações particulares da gente tinham sido captadas por um pássaro mecânico. "Mas mas mas claro que sim!", respondeu o Gavião. "E além disso estou me comunicando com você por *telepatia*, pois, como você pode notar, não estou mexendo meu bico, que precisa conservar sua configuração atual por motivos aerodinâmicos."

"Mas como você consegue fazer isso?", perguntou Haroun, e lá veio a resposta inevitável, rápida como o pensamento: "Por um PCD+P/EX. Um Processo Complicado Demais Para Explicar."

"Desisto", disse Haroun. "Bom, seja como for, você tem nome?"

"Qualquer nome que você desejar", respondeu o pássaro. "Posso sugerir, por motivos óbvios, o nome 'MasMas'?"

E foi assim que Haroun Khalifa, o filho do contador de

histórias, saiu voando pelo céu da noite nas costas de Mas-Mas, o Gavião-Avião, tendo o Gênio da Água como guia. O sol se levantou, e depois de um certo tempo Haroun viu algo a distância, um corpo celestial como um grande asteroide. "É Kahani, a segunda Lua da Terra", disse o Gavião MasMas, sem mexer o bico.

"Mas mas mas...", gaguejou Haroun, o que o Gavião achou muito divertido, "a Terra não tem uma Lua só? Como é possível que exista um segundo satélite que até hoje não foi descoberto?"

"Mas mas mas é por causa da Velocidade", respondeu o Gavião-Avião. "Velocidade, a mais Necessária das Qualidades! Em qualquer Emergência — incêndio, desastre, naufrágio — o que é mais necessário, acima de tudo? Velocidade, é claro: do caminhão de bombeiros, da ambulância, do navio de socorro. — E o que é que a gente admira num sujeito inteligente? Não é a sua Rapidez de Pensamento? — E em qualquer esporte, a Velocidade (dos pés, das mãos, dos olhos) é essencial! — E aquilo que os homens não conseguem fazer com rapidez suficiente, eles constroem máquinas para fazer mais depressa. — Velocidade, Supervelocidade! Se não fosse a Velocidade da Luz, o universo seria escuro e frio. — Mas se a Velocidade traz a luz para revelar, ela também pode ser usada para ocultar. Kahani, a segunda Lua, anda tão depressa — maravilha das maravilhas! — que não há instrumento na Terra que possa detectá-la; além disso sua órbita varia um grau a cada circuito, de modo que em 360 órbitas ela já sobrevoou cada lugarzinho da Terra. A Variação de Comportamento ajuda a Evasão da Detecção. Mas há também objetivos sérios para a variação da órbita: a Água de Histórias deve ser distribuída pelo planeta inteiro de maneira igualitária. Vuuum! Vrrruuuuum! Só em Alta Velocidade é que se pode fazer isso. Percebe agora quantas vantagens extras têm as Máquinas?"

"Então quer dizer que essa Lua Kahani se move por meios mecânicos?", perguntou Haroun; porém MasMas já tinha desviado sua atenção para assuntos mais práticos: "Kahani à vista!", anunciou, sem mexer o bico. "Velocidade relativa sincronizada. Procedimentos de aterrissagem iniciados. Pouso na água daqui a trinta segundos, vinte e nove, vinte e oito."

Vinha avançando até eles, em alta velocidade, uma enorme massa de água cintilante, dando a impressão de ser infinita. Para Haroun a superfície de Kahani parecia, até onde a vista alcançava, inteiramente líquida. E que água era aquela! Reluzente e repleta de cores, cores iridescentes, cores em rodamoinhos faiscantes, cores que Haroun nunca teria imaginado. E sem dúvida era um mar morno: via-se o vapor subindo da água, um vapor que reverberava à luz do sol. Haroun ficou boquiaberto.

"O Mar dos Fios de Histórias", disse Iff, o Gênio da Água, com as suíças azuis eriçadas de orgulho. "Não valeu a pena correr tanto e vir até tão longe para ver isso?"

"Três!", disse o Gavião MasMas, sem mexer o bico. "Dois, um, zero!"

Água, água por toda parte, nem sinal de terra... "É um truque!", exclamou Haroun. "Por aqui não tem nenhuma Cidade de Gup, a menos que eu esteja redondamente enganado. E, se não existe a Cidade de Gup, também não existe o Departamento dos PCD+P/EX, nem o Leão Marinho, nem motivo nenhum para eu estar aqui."

"Vamos com calma", disse o Gênio da Água. "Cabeça fria, devagar com o andor. As explicações estão na ordem do dia e serão fornecidas, desde que você permita."

"Mas nós estamos no Meio de Coisa Nenhuma!", continuou Haroun. "O que você espera que eu vá fazer neste lugar?"

"Para ser exato, estamos no Extremo Norte de Kahani", respondeu Iff. "E o que temos aqui a nossa disposição é um caminho mais curto, um atalho na burocracia, um jeito de reduzir a papelada. E também, devo admitir com sinceridade, um meio de resolver nossa pequenina dificuldade sem revelar às autoridades de Gup meu pequeno equívoco, a perda do Desconector e a subsequente chantagem realizada pelo seu Larápio. Estamos aqui em busca da Água do Desejo."

"Procure os trechos do mar que cintilam com mais brilho", disse MasMas. "É ali que fica a Água do Desejo; se você souber utilizá-la, ela pode fazer os seus desejos se realizarem."

"E assim as pessoas de Gup não precisam se envolver diretamente no caso", acrescentou Iff. "Quando o seu Desejo for realizado você pode devolver o Desconector e voltar para casa, ir pra caminha e fim da história. OK?"

"Tá bom, vai", concordou Haroun, meio na dúvida e, diga-se também, com um pouco de pena, pois já estava na expectativa de conhecer a Cidade de Gup e saber mais coisas sobre aqueles misteriosos Processos Complicados Demais Para Explicar.

"Esplêndido jovem!", exclamou Iff, muito aliviado. "Rapaz de escol, um príncipe entre os homens, nota dez. E vamos avante, a todo vapor! Água do Desejo à vista!"

O Gavião MasMas foi remando devagarzinho com as asas, aproximando-se com cuidado de um trecho de água muito brilhante, para onde Iff apontava ansioso, e parou ali na beirada. A Água do Desejo irradiava uma luz tão deslumbrante que Haroun teve de desviar a vista. — E então Iff, o Gênio da Água, enfiou a mão dentro do seu colete bordado a ouro e tirou uma garrafinha de cristal multifacetada, com uma tampinha dourada. Desenroscando depressa a tampa, Iff mergulhou a garrafa na água faiscante (que também reluzia com um brilho dourado); fechou então de novo a tampa e passou a garrafinha para Haroun com todo o cuidado, dizendo: "Atenção, preparar, aqui vai! Eis o que você deve fazer".

Este era o segredo da Água do Desejo: quanto mais intensamente a gente desejava, melhor ela funcionava. "Portanto, só depende de você", disse Iff. "Nada de vadiagem, arregaçar as mangas, mãos à obra. Leve isso a sério e a Água do Desejo também fará um negócio sério com você. E aí, pimba! O desejo do seu coração vai se transformar em realidade."

Haroun, montado nas costas de MasMas, olhou para a garrafa na sua mão. Bastava um golinho e poderia trazer de volta para seu pai o Dom da Palavra! "Goela abaixo!", exclamou com coragem; desenroscou a tampa e tomou um belo gole.

Viu-se então inteiramente envolvido por aquele brilho dourado, que o preenchia por dentro também; e tudo ficou muito quieto, totalmente imóvel, como se o universo inteiro estivesse esperando as suas ordens. Começou a focalizar seus pensamentos...

Mas não conseguia. Quando tentava concentrar-se no poder de contar histórias que seu pai havia perdido e no cancelamento da assinatura da Água de Histórias, a imagem da sua mãe aparecia com toda a força, e ele começava a desejar que ela voltasse, que tudo voltasse a ser como antes... e daí o rosto do seu pai reaparecia, implorando *faça isso por mim, filho, só essa coisinha*, e logo surgia sua mãe outra vez, e ele não sabia o que pensar, o que desejar — até que, com um barulho estridente como se mil e uma cordas de violino arrebentassem ao mesmo tempo, o brilho dourado desapareceu e ele estava de volta com Iff e o Gavião-Avião na superfície do Mar de Histórias.

"Onze minutos", disse o Gênio da Água com desprezo. "Apenas onze minutos, e a concentração dele vai embora, ka-blam, ka-blum, ka-put."

Haroun ficou envergonhado e abaixou a cabeça.

"Mas mas mas isso é um absurdo, Iff!", disse MasMas, sem mexer o bico. "Desejar não é uma coisa assim tão fácil, como você bem sabe. E você, Senhor Gênio da Água, está aborrecido por causa do seu próprio erro, pois agora nós vamos ter de ir para a Cidade de Gup, de qualquer jeito, e lá você estará em apuros e ouvirá palavras ásperas, e então está descontando isso no garoto. Portanto, pare com isso! Pare já, senão vou me aborrecer!"

("Puxa, como essa máquina é impetuosa! Fica até exaltada", pensou Haroun, no meio da sua infelicidade. "Dizem que as máquinas são ultrarracionais, mas esse Gavião-Avião chega a ser até temperamental.")

Iff olhou para o rosto de Haroun, todo vermelho de humilhação, e abrandando um pouco, concordou: "Então vamos mesmo para a Cidade de Gup. A menos que você queira devolver o Desconector e acabar com essa história toda!".

Haroun fez que não, sentindo-se infeliz.

"Mas mas mas você continua pressionando o menino!", protestou MasMas, furioso, sem mexer o bico. "Mudança de planos, por favor, agora mesmo! Iniciar imediatamente o levantamento dos ânimos e o restabelecimento da alegria! Dê ao garoto uma história alegre para beber!"

"Não quero mais beber nada", disse Haroun numa voz baixa, sumida. "Qual é o próximo fracasso que vocês estão preparando para mim?"

E assim Iff, o Gênio da Água, contou a Haroun sobre o Mar de Fios de Histórias, e embora o garoto estivesse se sentindo fracassado e sem esperanças, a mágica daquele Mar começou a exercer um efeito sobre ele. Olhou para a água e reparou que ela era feita de milhares e milhares e milhares de correntes diferentes, cada uma de uma cor diferente, que se entrelaçavam como uma tapeçaria líquida, de uma complexidade de tirar o fôlego; e Iff explicou que aqueles eram os Fios de Histórias, e que cada fio colorido representava e continha uma única narrativa. Em diferentes áreas do Oceano havia diferentes tipos de histórias, e como todas as histórias que já foram contadas e muitas que ainda estavam sendo inventadas podiam se encontrar aqui, o Mar de Fios de Histórias era, na verdade, a maior biblioteca do universo. E como as histórias ficavam guardadas ali em forma fluida, elas conservavam a capacidade de mudar, de se transformar em novas versões de si mesmas, de se unir a outras histórias e assim se tornar novas histórias; de modo que, ao contrário de uma biblioteca de livros, o Mar dos Fios de Histórias era muito mais do que um simples depósito de narrativas. Não era um lugar morto, mas sim cheio de vida.

"E se você for um sujeito muito, muito cuidadoso, e muito, muito habilidoso", disse Iff a Haroun, "você pode mergulhar uma xícara neste mar, assim, olha", e tirou uma xicarazinha dourada de outro bolso do colete, "e pode enchê-la com a água de um único Fio de História, purinho, assim", e fez exatamente isso, "e aí pode oferecê-la para um jovenzinho que está triste, para que a mágica da história lhe restaure o ânimo." "Então", concluiu Iff, "vamos lá, vire tudo, dê um bom gole que vai te fazer bem. Você vai se sentir Classe A, Número Um, garantido!"

Haroun, sem dizer palavra, pegou a xicrinha dourada e bebeu.

Encontrou-se então num lugar que parecia exatamente um gigantesco tabuleiro de xadrez. Em cada quadrado negro havia um monstro: viu cobras de língua bifurcada e leões com três fileiras de dentes, cachorros de quatro cabeças, reis-demônios de cinco cabeças e assim por diante. Haroun agora estava, por assim dizer, vendo tudo com os olhos do jovem herói da história. Era como estar num carro no banco do passageiro: sua única tarefa era olhar, enquanto o herói ia vencendo um monstro após o outro e avançando pelo tabuleiro em direção a uma torre de pedra branca que ficava lá no final. No topo da torre havia (naturalmente) uma única janela, da qual espiava (naturalmente) uma princesa prisioneira. A experiência que Haroun estava tendo, embora não soubesse disso, era a História de Salvamento de Princesa número S/1001/ ZHT/420/41(r)xi; e como a princesa dessa história tinha cortado o cabelo recentemente, e portanto não tinha mais longas tranças para jogar pela janela da torre (ao contrário da heroína da História de Salvamento de Princesa número F/1001/ RIN/777/m(w)i, mais conhecida como "Rapunzel"), Haroun, como era o herói, tinha de escalar a torre só com as mãos e os pés, agarrando-se nas fendas entre as pedras.

Começou a subir, mas quando estava a meio caminho notou que sua mão direita começou a mudar, a ficar peluda, a perder a forma humana. Daí seus dois braços saltaram fora das mangas, também peludos e incrivelmente longos, e com articulações nos lugares mais estranhos. Olhou para baixo e viu que a mesma coisa estava acontecendo com suas pernas. E quando sentiu que já vinham novos braços e pernas brotando dos lados do seu corpo, compreendeu que estava se transformando num monstro, igualzinho àqueles que acabava de matar; e lá em cima da torre a princesa levou a mão à garganta e exclamou com uma vozinha fraca:

"Iiiih, amado meu, numa grande aranha você se converteu!"

Como aranha ele conseguiu subir rapidamente até o alto da torre; mas quando chegou à janela a princesa pegou um facão de cozinha e começou a cortar e serrar seus braços e pernas, enquanto dizia: *"Vai embora, aranha, aranha, vai pro meio da montanha!"*, e Haroun sentiu que não estava mais conseguindo se agarrar nas pedras da torre, até que a princesa cortou um braço que já estava entrando pela janela, e ele caiu.

"Acorde, vamos, volte a si!", ouviu Iff chamar, ansioso. Abriu os olhos e se viu deitado, todo esparramado, nas costas do Gavião-Avião. Iff, sentado ao seu lado, parecia extremamente preocupado e também bastante desapontado, vendo que apesar de tudo Haroun continuava, de algum jeito, segurando firme o Desconector.

"O que aconteceu?", perguntou Iff. "Você não salvou a princesa? Não foi andando lentamente em direção ao pôr do sol, conforme os requisitos? Então por que tantos gemidos e lamúrias, tantos saltos e sobressaltos? Você por acaso *não gosta* das histórias de Salvamento de Princesa?"

Haroun contou o que tinha lhe acontecido na história, e tanto Iff como MasMas ficaram sérios, muito sérios mesmo. "Não dá pra acreditar", disse por fim o Gênio da Água. "É a primeira vez, caso único, sem paralelo, nunca visto em toda a minha vida!"

"Bom, quase fico contente de ouvir isso", disse Haroun. "Eu estava mesmo achando que aquele não era o jeito mais inteligente de me levantar o ânimo."

"É a poluição", disse Iff em tom grave. "Não compreende? Tem alguém, ou alguma coisa, jogando sujeira no Oceano. E é claro que se entra sujeira nas histórias, elas dão errado." "Escute, Gavião: faz tempo que ando longe daqui, fazendo meu serviço. E se até aqui, no Extremo Norte de Kahani, há vestígios de poluição, então lá na Cidade de Gup as coisas já devem estar entrando em crise. Vamos depressa, a toda velocidade! Isso pode dar em guerra!"

"Guerra contra quem?", Haroun quis saber.

Tanto Iff como MasMas sentiram um arrepio, algo muito parecido com medo.

"Com a Terra de Tchup, no Lado Escuro de Kahani", respondeu o Gavião MasMas, sem mexer o bico. "Isso está parecendo obra do líder dos Tchupwalas, o Mestre do Culto de Bezaban."

"E quem é esse?", perguntou Haroun, começando a achar que seria melhor ter ficado na sua cama de pavão em vez de se meter com Gênios da Água, Desconectores, Gaviões mecânicos falantes e mares de histórias em pleno céu.

"O nome dele", sussurrou o Gênio da Água, e o céu escureceu por um momento quando ele o pronunciou, "é Khattam-Shud."

Lá longe no horizonte um raio faiscou como uma forquilha de prata. Haroun sentiu seu sangue gelar nas veias.

5. OS GUPIS E OS TCHUPWALAS

HAROUN NÃO TINHA SE ESQUECIDO do que seu pai havia lhe contado sobre Khattam-Shud. "Quantas histórias inventadas estão se transformando em realidade!", pensou. No mesmo instante o Gavião MasMas respondeu, sem mexer o bico: "Nossa Kahani seria uma Lua de Histórias muito estranha, se aqui a gente não encontrasse por toda parte as coisas que há nos livros de histórias!". E Haroun teve de reconhecer que *essa* observação era muito sensata.

Estavam rumando a toda velocidade para o sul, para a Cidade de Gup. O Gavião-Avião preferiu continuar deslizando sobre a água, veloz como um barco de corrida, espirrando Fios de Histórias em todas as direções. "Isso não atrapalha as histórias?", perguntou Haroun. "Essa turbulência toda deve fazer uma mistura terrível!"

"*Não tem problema!*", exclamou o Gavião MasMas. "Qualquer história digna de ser contada aguenta bem uns sacolejos! Va-vuuum!"

Abandonando esse assunto, que obviamente não ia render muito, Haroun voltou a temas mais importantes. "Me conte mais sobre esse Khattam-Shud", pediu, e ficou espantadíssimo quando Iff respondeu usando quase as mesmas palavras que Rashid Khalifa tinha usado: "Khattam-Shud é o Arqui-inimigo de todas as Histórias, até mesmo da própria Linguagem. É o Príncipe do Silêncio, o Inimigo da Fala. Ou pelo menos", e aqui o Gênio da Água abandonou o tom solene das sentenças anteriores, "é o que dizem. Quando se trata da Terra de Tchup e do seu povo, os Tchupwalas, quase só há boatos e invencionices, pois já faz muitas gerações que nenhum de nós atravessa a Zona da Meia-Luz e entra na Zona da Noite Eterna."

"Vocês me desculpem", interrompeu Haroun, "mas vão ter de me ajudar a entender melhor essa geografia."

"Humpf!", fez o Gavião. "Vê-se que a escola desse garoto não é lá essas coisas."

"Isso não tem lógica", retrucou Haroun. "Foi você mesmo quem disse que a sua querida Velocidade esconde esta Lua das pessoas da Terra. Sendo assim, é absurdo esperar que a gente conheça suas características topográficas, principais produtos de exportação e coisas do gênero."

MasMas estava com um brilho nos olhos. "Puxa vida", pensou Haroun, "como é difícil conversar com as máquinas! Com a expressão fixa que elas têm, é impossível saber quando elas estão gozando da cara da gente."

MasMas, com pena de Haroun, começou a explicar:

"Graças ao gênio dos Cabeças de Ovo do Departamento dos PCD+P/EX, a rotação de Kahani está agora sob controle. Em consequência, a Terra de Gup vive banhada na Eterna Luz Solar, ao passo que a Terra de Tchup está sempre no meio da Noite Eterna. Entre as duas fica a Zona da Meia-Luz, na qual, sob o comando do Grande Controlador, os Gupis construíram, há muito tempo, uma Muralha de Força, que é inquebrável (e também invisível). Seu distinto nome é Muralha de Chattergy, em homenagem ao nosso Rei, que naturalmente não teve nada a ver com sua construção."

"Espera um pouco", pediu Haroun, franzindo a testa. "Se Kahani gira em volta da Terra, mesmo que ela gire *muito* depressa mesmo, deve haver momentos em que a Terra fica entre ela e o Sol. Assim, não pode ser verdade que uma metade de Kahani está sempre na luz do dia; lá vem você contando histórias outra vez!"

"Naturalmente que eu estou contando histórias!", respondeu MasMas. "E se você tem reclamações, favor levá-las ao conhecimento do Leão Marinho. Agora desculpem, por favor; preciso prestar atenção na rota. O volume de trânsito aumentou extraordinariamente."

Haroun ainda tinha muitas outras perguntas a fazer — por que os Tchupwalas vivem no meio da Noite Eterna? Não faz um frio terrível por lá, já que o sol não brilha nunca? E quem é Bezaban? E o que quer dizer Mestre do Culto? — mas era evidente que já estavam se aproximando da Cidade de Gup, pois a água ao redor e o céu lá em cima estavam ficando repletos de aves mecânicas, todas tão fantásticas como o Gavião MasMas: pássaros com cabeça de cobra e cauda de pavão, peixes voadores, peixes-cachorros. E montados nas costas das aves iam os Gênios da Água, com suas suíças de todas as tonalidades possíveis e imagináveis, todos de turbante, colete bordado e pijama em forma de berinjela, e tão parecidos com Iff que era bom mesmo, na opinião de Haroun, que as suíças fossem de cores diferentes, para a gente poder distinguir um do outro.

"Alguma coisa muito séria aconteceu", comentou Iff. "Todas as unidades receberam ordem de voltar à base. Bem, se eu tivesse o meu Desconector", acrescentou num tom cortante, "eu também teria recebido a ordem, pois há uma coisa que os Gatunos Mirins naturalmente não sabem: é que no cabo do Desconector há um transreceptor ultramoderno."

"Acontece", respondeu Haroun num tom igualmente cortante, "que por sorte, depois que você quase me envenenou com aquela história poluída, você já compreendeu o que está havendo; de modo que ninguém saiu prejudicado, exceto, talvez, eu."

Iff ignorou esta resposta. E Haroun também desviou sua atenção, reparando que havia uma coisa que parecia uma espécie de mato ou vegetação cerrada deslizando rapidamente ao lado deles, mantendo-se na mesma velocidade do Gavião-Avião sem nenhum esforço aparente, enquanto agitava no ar seus tentáculos-plantas de uma maneira estranhíssima. No centro desse pedaço de vegetação móvel havia uma única flor lilás, com folhas grossas e carnudas, um tipo de flor que Haroun nunca tinha visto. "O que é isso???", perguntou, apontando para aquilo, mesmo sabendo que é falta de educação apontar com o dedo.

"Um Jardineiro Flutuante, é claro", disse MasMas sem mexer o bico. Isso não fazia sentido, e Haroun corrigiu o pássaro: "Você quer dizer *Jardim* Flutuante, certo?". "Humpf!", respondeu o Gavião com desdém, "isso é o que *você* acha!" Nesse momento aquele canteiro que deslizava a toda velocidade levantou-se da água e começou a se enroscar e se enrodilhar em si mesmo até ficar mais ou menos com forma de homem, com a flor lilás na "cabeça", no lugar da boca, e um emaranhado de folhas e raízes formando um chapéu rústico. Haroun compreendeu: "Quer dizer que é mesmo um *Jardineiro* Flutuante!".

O Jardineiro Flutuante agora corria com leveza sobre a superfície da água, sem dar sinal de afundar. "Como é que ele iria afundar?", interrompeu MasMas. "Se fosse assim, ele seria um Jardineiro Afundante! E, como você pode ver, ele flutua; ele corre, ele anda, ele pula. *Não tem problema!*"

Iff cumprimentou o Jardineiro, que respondeu com uma observação lacônica: "Estão levando um estranho? Figura esquisita. Bom, problema de vocês". Sua voz era suave como uma pétala de flor (afinal, ele realmente estava falando através daqueles lábios de lilás), mas seu modo de falar era um tanto brusco. Haroun cochichou para Iff: "Pensei que todos vocês, Gupis, fossem uns tagarelas, mas estou vendo que esse Jardineiro não é de muito falar".

"Não, ele até que fala bastante", disse Iff, "considerando-se que é um jardineiro."

"Alô, como vai?", disse Haroun para o Jardineiro, pois como era ele o forasteiro, achou que era sua obrigação apresentar-se. "Quem é você?", perguntou o Jardineiro com aquele seu jeito suave mas abrupto, sem diminuir o passo. Haroun lhe disse seu nome, e o Jardineiro fez um breve aceno de cabeça, dizendo:

"Mali. Jardineiro Flutuante, Primeira Classe."

"Por favor", perguntou Haroun na sua voz mais educada, "pode me dizer qual é o serviço de um Jardineiro Flutuante?"

"Manutenção", respondeu Mali. "Desenroscar os Fios de Histórias que se enroscam. Também desenrolar os fios. Arrancar o mato. Enfim: jardinagem."

"Imagine que o Mar é uma cabeça cheia de cabelos", disse o Gavião MasMas, querendo ajudar. "Imagine que ele está cheinho de Fios de Histórias do mesmo jeito que uma cabeleira bem densa é repleta de fios bem soltos e macios. Quanto mais longos e mais grossos são os fios, mais embaraçados e cheios de nós eles ficam. Pode-se dizer que os Jardineiros Flutuantes são os cabeleireiros do Mar de Histórias. Eles limpam, lavam, escovam, penteiam. Entendeu? É isso."

Iff perguntou para Mali: "Que poluição é essa? Quando começou? É grave?".

Mali respondeu às três perguntas pela ordem: "Mortal, mas de natureza ainda desconhecida. Começou há pouco, mas a difusão é rápida. Se é grave? Muito. Certos tipos de histórias podem levar anos para limpar."

"Por exemplo?", perguntou Haroun.

"Certos romances populares se transformaram em longas listas de nomes de produtos. As histórias infantis também estão poluídas. Por exemplo, há uma epidemia de piadas de helicópteros falantes."

Mali então calou-se, e a corrida para a Cidade de Gup continuou. Alguns minutos depois, porém, Haroun ouviu novas vozes. Era como um coro: muitas vozes falando ao mesmo tempo em perfeito uníssono, vozes cheias de espuma e bolhas. Por fim Haroun descobriu que as vozes vinham de baixo da superfície do Mar. Olhou dentro da água e viu dois monstros marinhos assustadores bem ao lado do Gavião, nadando tão perto da superfície que quase iam surfando na esteira de água que MasMas deixava atrás enquanto avançava a toda velocidade.

Pelo formato dos bichos, mais ou menos triangular, e pelas suas cores iridescentes, Haroun deduziu que deviam ser um tipo de Peixe-Anjo, embora fossem do tamanho de tubarões gigantes e tivessem literalmente dezenas de bocas, espalhadas pelo corpo todo. Essas bocas trabalhavam constantemente, chupando Fios de Histórias e os cuspindo fora de novo, parando só para falar. Haroun notou que cada boca falava com sua própria voz, mas em cada peixe todas as bocas falavam as palavras em perfeita sincronia. O primeiro peixe disse:

"O mar está doente! Vamos, corra!"

E o segundo:

"Traga o remédio antes que ele morra!"

Mais uma vez o Gavião fez a gentileza de esclarecer as coisas para Haroun: "Esses são os Peixes Milbocas. Adquiriram esse nome pelo fato de que, como você já deve ter notado, possuem uma grande quantidade de bocas".

"Puxa vida!", pensou Haroun, maravilhado, "quer dizer que realmente o Oceano tem Milbocas, bem como disse o velho Brilhantina, o MasDemais; e é verdade mesmo que eu fui longe, bem como meu pai disse, e acabei encontrando não só um Peixe-Anjo, mas até dois."

"Os Milbocas sempre andam aos pares", explicou MasMas, sem mexer o bico. "São companheiros fiéis por toda a vida. E para expressar a união perfeita do casal, eles só falam em rimas."

Para Haroun aqueles dois Milbocas não pareciam estar com boa saúde. Suas numerosas bocas cuspiam e tossiam, seus olhos estavam vermelhos e inflamados. Haroun lhes disse: "Não sou especialista, mas vocês dois estão passando bem?".

A resposta veio rápida, interrompida por ataques de tosse, espuma e bolhas:

"Gosto ruim na água! Muita sujeira!"

"Nadar no mar agora dá coceira!"

"Meu nome é Bagha! Este é Galpi, meu amigo!"

"Desculpe, não posso mais conversar contigo!"

"Os olhos ardem! Dói a garganta!"

"Falamos depois, agora não adianta!"

"Como você já percebeu, todos os Gupis adoram falar", comentou Iff. "Ficar em silêncio é considerado falta de educação; foi por isso que os Milbocas pediram desculpas." "Pra mim eles falaram bastante", comentou Haroun. "É que normalmente", explicou Iff, "cada boca diz uma coisa diferente, o que produz um falatório muito maior. Para eles, isso aqui é como ficar em silêncio."

"Ao passo que um Jardineiro Flutuante que fala umas poucas frases já é considerado tagarela", disse Haroun com um suspiro. "Acho que nunca vou compreender direito qual é a desse lugar. Mas, enfim, o que fazem esses peixes?"

Iff respondeu que os Milbocas eram "artistas da fome": "Quando estão com fome eles engolem histórias por todas as bocas, e lá nas suas entranhas acontece um milagre: um pedacinho de uma história se junta com uma ideia de outra, e pronto! Quando eles cospem as histórias, elas já não são mais as mesmas, antigas; são outras, novas. Nada vem do nada, Ladrãozinho; nenhuma história vem do nada; as histórias novas nascem das velhas. São as novas combinações que fazem com que elas sejam novas. Assim, você vê que os nossos artísticos Milbocas criam novas histórias no seu sistema digestivo — imagine então como eles devem estar se sentindo doentes uma hora dessas! Todas essas sagas enlameadas passando por dentro deles, de cima para baixo, de trás para a frente, de lado a lado — não é à toa que eles estão com as nadadeiras esverdeadas!".

Os Milbocas voltaram à tona para dizer, ofegantes, um último versinho rimado:

"As coisas vão de mal a pior!"

"E na Zona Velha o problema é ainda maior!"

Ao ouvir isso o Gênio da Água deu um tapa na testa que quase arrancou o turbante. "Que foi?", perguntou Haroun; e Iff, ainda mais preocupado e aborrecido, explicou que a Zona Velha, na região do Polo Sul de Kahani, era uma área aonde quase ninguém mais ia. Havia pouca procura pelas antigas histórias que flutuavam por lá. "Sabe como as pessoas são", disse ele, "querem novidades, sempre novidades! Para as histórias velhas ninguém mais liga!" Assim, a Zona Velha tinha caído em desuso; mas acreditava-se que todos os Fios de Histórias tinham se originado por lá, há muito tempo, numa das correntes que atravessavam o Oceano em direção ao norte, vindas da Nascente, ou Fonte das Histórias, que, segundo a lenda, ficava perto do Polo Sul de Kahani.

"E se a própria Fonte estiver envenenada, o que vai acontecer com o Mar, e com nós todos?", perguntou Iff, quase chorando. "Passamos muito tempo sem tomar conhecimento disso, e agora estamos pagando o preço!"

"Segurem-se", interrompeu MasMas. "Vou pisar no breque. Cidade de Gup à vista. Tempo recorde! Va-va-va-vuuuum! *Não tem problema!*"

"É incrível como a gente se acostuma com tudo quanto é tipo de coisa", refletiu Haroun. "E tão depressa! Este novo mundo, esses novos amigos — acabo de chegar por aqui, e já não acho mais nada disso esquisito."

* * *

A Cidade de Gup borbulhava de excitação e atividade. Havia canais entrecruzando a cidade em todas as direções, pois a capital da Terra de Gup era construída em cima de um Arquipélago de mil e uma ilhotas, logo perto do Continente — e esses canais agora formigavam com embarcações de todos os tamanhos e formatos, repletas de cidadãos Gupis, que também eram muito diversos, todos com uma expressão preocupada no rosto. O Gavião MasMas, com Mali de um lado e Bagha e Galpi do outro, ia avançando (agora mais devagar) pela multidão flutuante, e se dirigindo, como todos os outros, para a Lagoa.

A Lagoa, uma linda extensão de águas multicores, ficava entre o Arquipélago — onde morava a maioria dos Gupis, em casas de madeira com intrincados entalhes e o teto de chapas onduladas de ouro e prata — e o Continente, onde um enorme e bem cuidado jardim descia em terraços pela encosta da montanha, até as margens da Lagoa. Nesse Jardim dos Prazeres havia fontes e caramanchões e árvores velhíssimas que espalhavam sua imensa copa; e em volta ficavam os três edifícios mais importantes de Gup, que pareciam um trio de bolos de noiva em tamanho gigante: o Palácio do Rei Chattergy, com seu majestoso balcão que dava para o Jardim; à direita, o Parlamento de Gup, mais conhecido como Parlamuito, pois ali os debates chegavam a levar semanas, meses, ou até mesmo, ocasionalmente, anos, devido à paixão dos Gupis pela conversação; e à esquerda, o imponente Departamento dos PCD+P/EX, um edifício colossal de onde saía uma barulheira constante de zumbidos e rangidos, e dentro do qual se ocultavam mil e uma Máquinas Complicadas Demais Para Descrever, que controlavam os Processos Complicados Demais Para Explicar.

O Gavião MasMas trouxe Iff e Haroun até os degraus

à beira do lago. O menino e o Gênio da Água desembarcaram e se juntaram à multidão que ia ocupando o Jardim dos Prazeres, enquanto os Gupis que preferiam a água (Jardineiros Flutuantes, Peixes Milbocas, pássaros mecânicos) continuavam na Lagoa. No Jardim dos Prazeres, Haroún notou que havia um grande número de Gupis extremamente finos, vestidos com roupas totalmente retangulares, cobertas de palavras escritas. "Esses aí", explicou Iff, "são os famosos Pajens-Páginas, o exército de Gup. Os exércitos comuns são feitos de pelotões, regimentos e coisas assim; mas os nossos Pajens-Páginas se organizam em Capítulos e Volumes. Cada Volume tem à frente uma Página de Rosto, também chamada Frontispício; e aquele lá em cima é o líder da 'Biblioteca' inteira, pois é assim que chamamos nosso exército. É o General Kitab em pessoa."

"Lá em cima" era o balcão do Palácio de Gup, onde os dignitários da cidade estavam agora reunidos. Era fácil perceber quem era o General Kitab, um velho cavalheiro com o rosto curtido pelo tempo, com um uniforme retangular feito de couro e finamente gravado a ouro, como Haroun já tinha visto na capa de livros antigos e valiosos. Havia também o Porta-Voz (ou seja, o líder) do Parlamuito, um sujeito gorducho que não parava de falar com seus colegas no balcão; e um senhor de cabelos brancos, magrinho e frágil, com um diadema de ouro na cabeça e uma expressão trágica no rosto. Era fácil adivinhar que esse devia ser o Rei Chattergy em pessoa. Haroun teve mais dificuldade para identificar as últimas duas figuras no balcão. Havia um jovem extremamente agitado, com um jeito intrépido e ao mesmo tempo tolo ("É o Príncipe Bolo, noivo da filha única do Rei Chattergy, a Princesa Batchit", cochichou Iff para Haroun); e, por fim, uma pessoa com uma careca espetacular, lisinha, brilhante, sem nem um único fio de cabelo, e com um bigodinho insignificante, decepcionante, que parecia um pedaço de rato morto pendurado debaixo do nariz. "Esse aí me lembra aquele Brilhantina, o MasDemais", cochichou Haroun para Iff. "Uma pessoa que você não conhece, não importa. Mas quem é ele?"

Embora Haroun falasse baixinho, sua pergunta foi ouvida por muitas pessoas que agora se aglomeravam no Jardim dos Prazeres. Elas se viraram, incrédulas, para examinar esse forasteiro cuja ignorância era tão espantosa (e cuja camisola também era fora do comum), e Haroun notou que no meio da multidão havia muitos homens e mulheres que, tal como aquele homem no balcão, tinham a cabeça totalmente careca, lisinha e brilhante. Todos esses usavam guarda-pó branco, como técnicos de laboratório; sem dúvida deviam ser os Cabeças de Ovo do Departamento dos PCD+P/EX, os gênios que operavam as Máquinas Complicadas Demais Para Descrever (ou MCD+P/D) que executavam os Processos Complicados Demais Para Explicar.

"Vocês são os...?", começou Haroun, e eles o interromperam, pois, como eram intelectuais, tinham a resposta na ponta da língua:

"Somos os Cabeças de Ovo, sim", e com uma cara que significava *não acredito que você não saiba*, apontaram para o sujeito de cocuruto reluzente no balcão e disseram:

"Aquele lá é o Leão Marinho."

"É *ele* o Leão Marinho?", exclamou Haroun, estupefato. "Mas ele não parece nada com um leão-marinho! Por que vocês lhe deram esse nome?"

"Por causa daquele bigodão que ele tem, tão espesso e abundante como o de um leão-marinho", respondeu um dos Cabeças de Ovo; e outro acrescentou, cheio de admiração: "Olha só! Não é o máximo? Que bigode *peludo*, e macio como uma seda!".

"Mas...", começou Haroun, mas parou quando levou uma boa cotovelada de Iff. Pensou então consigo: "Acho que quando a pessoa é completamente careca, como esses Cabeças de

Ovo, até aquele ratinho morto, tão patético, pendurado no nariz do Leão Marinho parece a coisa mais sensacional que a gente já viu".

O Rei Chattergy tentou falar, mas não conseguiu encontrar as palavras, e abanando a cabeça com um ar infeliz, deu um passo para trás. Foi o Príncipe Bolo quem lançou de repente um discurso impetuoso: "Eles a aprisionaram!", gritou, com sua voz audaciosa e um tanto tola. "Minha Batchit, minha Princesa! Os servos do Mestre do Culto a raptaram, algumas horas atrás! Infames, covardes, canalhas, crápulas! Com mil demônios, eles ainda vão pagar por isso!"

O General Kitab continuou a história: "Uma verdadeira desgraça! Não se sabe o paradeiro dela, mas provavelmente deve estar prisioneira na Cidadela de Tchup, no Castelo de Gelo de Khattam-Shud, lá na Cidade de Tchup, no coração da Noite Eterna. Que situação terrível! Com mil raios e trovões!". E o general concluiu sua fala com um pigarro: "Aa-rrrumpf!".

"Já enviamos uma mensagem para Khattam-Shud, o Mestre do Culto", prosseguiu o Porta-Voz do Parlamuito. "A mensagem se refere ao ignóbil veneno que vem sendo injetado no Mar dos Fios de Histórias, e também ao rapto da princesa Batchit. Nela exigimos que Khattam-Shud ponha um fim à poluição e também devolva, dentro de sete horas, a Dama raptada. Nenhuma das duas exigências foi atendida. Portanto, devo informá-los de que existe agora um estado de guerra entre as Terras de Gup e de Tchup."

"A extrema urgência é a essência!", disse o Leão Marinho à multidão. "Os venenos estão se espalhando rapidamente e irão destruir o Oceano inteiro, se não tomarmos providências para ir ao fundo do problema."

"Salvem o Oceano!", gritou a multidão.

"Salvem Batchit!", gritou o Príncipe Bolo. Isso confundiu a multidão por alguns momentos; mas depois, cheios de boa vontade, mudaram seu grito de guerra:

"Por Batchit e pelo Oceano!", gritaram todos, e o Príncipe Bolo pareceu satisfeito.

Iff, o Gênio da Água, assumiu sua expressão mais simpática: "Muito bem, Ladrãozinho, agora é guerra!", disse com tristeza fingida. "Isto significa que ninguém lá no Departamento dos PCD+P/EX vai ter tempo para o seu pedido. Vale mais a pena você devolver aquele Desconector; e aí, veja só, mando levar você de volta para casa sem cobrar nada, totalmente grátis! Diga a verdade: não é um trato justo?"

Haroun agarrou o Desconector com toda a força e fez um biquinho rebelde: "Sem Leão Marinho, nada de Desconector. E ponto final!".

Iff pareceu aceitar isso filosoficamente. "Pegue um chocolate", falou, e tirou de um dos seus inúmeros bolsinhos do colete uma versão tamanho jumbo do chocolate preferido de Haroun. Percebendo que estava morrendo de fome, Haroun aceitou com gratidão, dizendo: "Não sabia que vocês fabricavam chocolate aqui em Kahani".

"Não fabricamos", respondeu Iff. "A produção de alimentos em Kahani se restringe ao estritamente básico. Para obter artigos de luxo, finos e saborosos, precisamos ir buscar lá na Terra."

"Quer dizer que é daqui que vêm os Objetos Voadores Não Identificados!", pensou Haroun, maravilhado. "E é isso que eles vão buscar na Terra: uns lanchinhos!"

Nesse momento houve um rebuliço no balcão do palácio. O Príncipe Bolo e o General Kitab se retiraram um instante, depois voltaram para anunciar que as patrulhas Gupi que tinham entrado na Zona da Meia-Luz, procurando o paradeiro da Princesa Batchit, tinham prendido um estranho — uma pessoa altamente suspeita, que não conseguia explicar satisfatoriamente quem era nem o que estava fazendo lá na Zona.

"Vou interrogar este espião antes de vocês todos; vou eu mesmo, em pessoa!", gritou Bolo, e embora o General Kitab parecesse um pouco incomodado com esta ideia, não discordou. Um quarteto de Pajens-Páginas veio então trazendo um homem até o balcão, um homem com uma longa camisola azul, as mãos amarradas nas costas e um saco enfiado na cabeça. Quando o saco foi retirado, Haroun ficou de boca aberta e a barra de chocolate, ainda pela metade, caiu da sua mão.

O homem que tiritava e tremia no balcão do palácio, postado entre o Príncipe Bolo e o General Kitab, era o pai de Haroun, Rashid Khalifa, o contador de histórias, o infeliz Xá do Blá-blá-blá.

6. A HISTÓRIA DO ESPIÃO

A CAPTURA DO "ESPIÃO" vindo da Terra provocou um zum-zum de horror no Jardim dos Prazeres; e quando ele se identificou como sendo "apenas um contador de histórias, há longa data assinante do vosso serviço de Água de Histórias", a revolta geral só fez crescer. Haroun começou a abrir caminho a cotoveladas, através da multidão. Muitos olhos desconfiados se fixavam neste outro Terráqueo, também usando uma camisola comprida, que abria caminho à força, parecendo agitadíssimo. Pelos sete terraços do Jardim dos Prazeres Haroun foi subindo, subindo, subindo, até chegar ao balcão do palácio; e no caminho ouviu muitos Gupis comentando baixinho: "Um assinante nosso! — Nos traiu e foi ajudar os Tchupwalas! Como é possível? — Aquela pobre Princesa Batchit!". "Que mal fez ela a não ser cantar tão mal que quase nos fura os tímpanos?" "E também não se pode dizer que seja linda como uma pintura, mas isso não é motivo!" "Não se pode confiar nos Terráqueos, a verdade é essa!" Haroun, cada vez mais furioso, abria caminho aos trancos. Logo atrás dele vinha Iff, o Gênio da Água, chamando: "Ei! Espere um pouco, a paciência é a mãe das virtudes, vai tirar o pai da forca?". Mas Haroun nem parava para ouvir.

"O que os Gupis costumam fazer com os espiões, hein?", gritou para Iff, possesso da vida. "Imagino que vocês lhes arrancam as unhas, uma por uma, até eles confessarem! Vocês costumam matar devagar, torturando, ou preferem matar depressa, com um choque de um milhão de volts numa cadeira elétrica?" O Gênio da Água (e todos os outros Gupis que ou-

77

viram essa explosão de raiva) pareceu horrorizado e ofendido. Iff perguntou: "Onde você foi arranjar essas ideias tão sanguinárias? Que absurdo, que ultraje, nunca ouvi uma coisa dessas!". Haroun insistiu: "Bom, nesse caso, o que é que vocês fazem?". "Não sei", respondeu Iff, ofegante, lutando para acompanhar o passo do garoto, que ia abrindo caminho à força. "Nunca apanhamos um espião, é a primeira vez! Quem sabe a gente deva lhe passar um belo sabão? Ou fazê-lo ficar de pé no canto, de costas para a parede? Ou quem sabe escrever mil vezes *É feio espionar*. Ou será que esse castigo é muito severo?"

Haroun não respondeu, pois finalmente tinha chegado debaixo do balcão do palácio. Gritou então com toda a força dos seus pulmões: "Papai! O que você está fazendo aí?".

Todos os Gupis, sem exceção, o fitaram espantados; Rashid Khalifa (que ainda tiritava de frio) não pareceu menos surpreso, e disse: "Ora, vejam só! Jovem Haroun, não há dúvida que você sabe fazer uma bela surpresa!".

"Ele não é espião!", gritou Haroun. "Ele é meu pai, e a única coisa errada que há com ele é que perdeu o Dom da Palavra."

"É, isso mesmo", disse Rashid, acabrunhado, com os dentes batendo de frio, "vai, conta pra todo o mundo, põe no jornal!"

Por ordem do Príncipe Bolo, um dos Pajens-Páginas foi escoltar Haroun e Iff até os aposentos reais, no coração do palácio. Esse pajem, que não parecia muito mais velho que Haroun, apresentou-se como Tagarela — um nome que, como Haroun ficou sabendo depois, era muito popular em Gup, tanto para meninas como para meninos. Tagarela, como todos os Páginas, usava uma túnica retangular, onde Haroun viu o texto de uma história chamada "Bolo e o Tosão de Ouro". "Que estranho", pensou ele. "Sempre pensei que essa história fosse sobre outra pessoa."

Enquanto iam passando pelos corredores labirínticos do palácio real de Gup, Haroun notou que muitos outros Pajens-Páginas da Guarda Real estavam vestidos com narrativas semifamiliares. Um Página usava a história de "Bolo e a Lâmpada Maravilhosa"; outro, "Bolo e os Quarenta Ladrões". Havia também "Bolo, o Marujo", "Bolo e Julieta", "Bolo no País das Maravilhas". Era tudo muito intrigante, mas quando Haroun perguntou a Tagarela sobre as histórias nos uniformes, o Página limitou-se a responder: "*Agora* não é hora de discutir *questões de moda*. Os Dignitários de Gup estão todos *esperando* para interrogar seu pai e você". Mas Haroun teve a impressão de que sua pergunta deixou Tagarela envergonhado, pois o Página ficou visivelmente vermelho. "Bem", pensou Haroun, "tudo vem na sua hora."

Na Sala do Trono do palácio, Rashid, o contador de histórias, estava contando sua história para o Príncipe Bolo, o General Kitab, o Porta-Voz e o Leão Marinho. (O Rei Chattergy tinha se retirado, pois não se sentia bem de tanto preocupar-se por causa de Batchit.) Rashid estava enrolado num cobertor e tinha os pés numa bacia de água fumegante. "Como foi que eu cheguei até Gup — com certeza é isso que vocês querem saber", começou ele, dando um gole numa tigela de sopa. "Bem, foi por meio de determinados procedimentos alimentares."

Haroun pareceu incrédulo, mas os outros ouviam com atenção. "Como sofro frequentemente de insônia", continuou Rashid, "aprendi que determinados alimentos, devidamente preparados, podem (a) induzir o sono, mas também (b) levar aquele que dorme aonde quer que ele deseje. É um processo conhecido como 'En-levar'. E, com bastante perícia, a pessoa pode decidir acordar lá naquele lugar aonde o sono a en-levar, isto é, acordar *dentro do sonho*. Meu desejo era viajar até Gup; mas devido a um pequeno erro de cálculo direcional, acabei acordando na Zona da Meia-Luz, trajando nada mais que esta vestimenta assaz inadequada. E com isso fiquei congelado; sim, confesso a vocês, senhores, que quase morri de frio."

"E quais são esses alimentos?", perguntou o Leão Marinho, com uma voz muito interessada. Rashid já tinha se recuperado o suficiente para responder com sua cara de mistério, retorcendo as sobrancelhas: "Ah, mas vocês hão de permitir que eu conserve meus pequenos segredos! Digamos que sejam amoras da lua, caudas de cometa e anéis de planeta, tudo misturado com um pouquinho de sopa primal. Aliás, esta sopa está muito gostosa", concluiu, mudando de tom.

"Se eles acreditarem nessa história, vão acreditar em qualquer coisa", pensou Haroun. "Agora com certeza vão ficar zangados e vai começar a tortura." Mas o que de fato aconteceu é que o Príncipe Bolo soltou uma gargalhada sonora, impetuosa e tola, e deu um tapão nas costas de Rashid Khalifa, fazendo-o cuspir fora a sopa que tinha na boca. "Além de aventureiro, é esperto!", disse o Príncipe. "Muito bem. Meu amigo, eu gosto de você!", concluiu, dando-lhe uma boa palmada na coxa.

"Que almas crédulas são esses Gupis!", pensou Haroun. "E delicados, também. É verdade que Iff brigou comigo por causa do Desconector, mas não tentou tirá-lo de mim à força, nem mesmo quando eu perdi os sentidos e saí fora do ar completamente. E se para um espião de verdade eles só dariam de castigo uma frase pra copiar mil vezes, então de fato são gente de boa paz. Mas e se eles tiverem de lutar numa guerra, o que acontece? Vão estar completamente por fora, um caso perdido, sem remédio..." E aqui seus pensamentos foram sumindo, pois ele estava prestes a acrescentar *"khattam-shud"*.

"Na Zona da Meia-Luz", dizia Rashid Khalifa, "vi coisas ruins, e ouvi coisas piores ainda. Há lá um acampamento do Exército Tchupwala. Como são negras aquelas barracas, e que silêncio fanático paira sobre elas! Pois é verdade o boato que vocês já ouviram: a Terra de Tchup caiu sob o poder do 'Mistério de Bezaban', um culto do silêncio cujos seguidores fazem um voto de mudez perpétua para demonstrar sua devoção. Sim, enquanto eu avançava furtivamente por entre as tendas dos Tchupwalas, fiquei sabendo disso. Nos dias de outrora o Mestre do Culto, Khattam-Shud, pregava o ódio apenas contra as histórias, os sonhos e as fantasias; mas agora ele se tornou mais severo, e é contra a Fala em geral, por qualquer motivo que seja. Na Cidade de Tchup todas as escolas, tribunais e teatros estão fechados, sem poder funcionar por causa das Leis do Silêncio. E ouvi dizer ainda que alguns devotos ultrafanáticos desse Mistério entram em transe e costuram seus próprios lábios com barbante, de modo que acabam morrendo lentamente de fome e de sede, sacrificando-se por amor a Bezaban..."

"Mas quem, ou o que é esse Bezaban?", interrompeu Haroun. "Talvez vocês todos saibam, mas eu não faço a menor ideia."

"Bezaban é um ídolo gigante", disse Rashid ao seu filho. "É um colosso esculpido em gelo negro, e fica no coração do palácio-fortaleza de Khattam-Shud, a Cidadela de Tchup. Eles dizem que esse ídolo não tem língua, mas está sempre com um terrível sorriso fixo, mostrando os dentes, cada um do tamanho de uma casa."

"Não sei para que eu fui perguntar isso", pensou Haroun.

"Os soldados Tchupwalas ficam andando sem parar naquela penumbra", continuou Rashid. "Usam umas túnicas longas, e pelas pregas desses mantos eu via o brilho baço da lâmina cruel de suas adagas."

"Mas, meus senhores, todos vocês conhecem as histórias sobre Tchup! Sabem que é um lugar de sombras, de livros trancados com cadeados e línguas arrancadas; de conspirações secretas e anéis que ocultam veneno. Por que eu haveria de esperar por lá, perto daquele terrível acampamento? Descalço, roxo de frio, fui caminhando rumo a uma luz distante que vi no horizonte. E assim fui dar na Muralha de Chattergy, a Muralha de Força; e, meus senhores, ela está em péssimas condições de manutenção. Há muitos buracos por onde se pode passar facilmente. Os Tchupwalas já sabem disso; eu os vi pelos buracos, do outro lado da Muralha — e, aliás, eu presenciei o rapto de Batchit com meus próprios olhos!"

"O que o senhor está dizendo?", gritou Bolo, levantando-se de um pulo e fazendo uma pose audaciosa e ligeiramente ridícula. "Por que esperou tanto para nos dizer isso? Ora, cavalheiro, continue, pelo amor de Deus, continue!" (Quando Bolo falava dessa maneira, todos os outros dignitários pareciam um tanto constrangidos e desviavam os olhos.)

"Eu estava abrindo caminho por entre uns arbustos emaranhados, cheios de espinhos, tentando ir para a beira do Mar", contou Rashid, "quando vi um barco-cisne, todo de ouro e prata, que vinha se aproximando. Nele estava uma moça de cabelo bem longo, com um diadema de ouro, e cantando, se me desculpem, com a voz mais feia que eu já ouvi na minha vida. Além disso, os dentes dela, o nariz..."

"Não precisa continuar", interrompeu o Porta-Voz do Parlamuito. "Essa devia ser Batchit, sem dúvida."

"Batchit, Batchit!", lamentou-se Bolo. "Será que ainda voltarei a ouvir a tua doce voz, e contemplar teu rosto tão delicado?"

"Mas o que ela estava fazendo lá?", perguntou o Leão Marinho. "Aquela região é perigosa!"

Nesse ponto Iff, o Gênio da Água, pigarreou e entrou na conversa, dizendo: "Cavalheiros, talvez os senhores não saibam, mas os jovens de Gup costumam entrar na Zona da Meia-Luz ocasionalmente, isto é, às vezes, isto é, com muita frequência. Como vivem o tempo todo sob a luz do sol, eles desejam ver as estrelas, a Terra, a Outra Lua brilhando no céu. É uma façanha de grande ousadia, e naturalmente os jovens estavam certos de que a Muralha de Chattergy sempre iria protegê-los. A escuridão, meus senhores, tem seu fascínio: é misteriosa, é estranha, é romântica...".

"Romântica?", gritou o Príncipe Bolo, puxando a espada. "Abominável Gênio da Água! Devo atravessá-lo de um golpe, de lado a lado? Está se atrevendo a sugerir que minha Batchit foi até lá... por amor?"

"Não, não!", respondeu Iff, em pânico, "mil desculpas, retiro o que eu disse, não quis ofendê-lo!"

"Não precisa preocupar-se com este assunto", disse logo Rashid para tranquilizar o Príncipe Bolo, que muito lentamente foi recolocando a espada na bainha. "Ela estava com suas damas de companhia e mais ninguém. Iam todas rindo e conversando sobre a Muralha de Chattergy; diziam que queriam ir até lá para tocá-la. Ouvi Batchit dizer: 'Quero saber como é essa coisa tão famosa e tão invisível. Se os olhos não conseguem ver, quem sabe as mãos conseguem tocar, ou a língua consegue sentir?'. Nesse momento vi um grupo de Tchupwalas, que obviamente tinham passado por um buraco na Muralha; estavam escondidos atrás dos arbustos de espinhos, observando a Princesa. Eles agarraram as damas e as levaram embora, todas se debatendo e gritando, até o acampamento Tchup."

"E que espécie de homem é você", perguntou o Príncipe Bolo com rude sarcasmo, "que continuou escondido e não fez nada para salvá-las desse destino atroz?"

O Leão Marinho, o Porta-Voz e o General pareceram consternados com esta última observação do Príncipe, e Haroun ficou vermelho de raiva. "Esse Príncipe, como ele se atreve?", sussurrou para Iff, indignado. "Se não fosse aquela espada, eu... eu..."

"Eu sei", cochichou o Gênio da Água. "Às vezes os Príncipes são assim mesmo. Mas não se preocupe, por aqui nós não deixamos ele fazer nada de importante."

"O que o senhor preferiria?", respondeu Rashid a Bolo, com grande dignidade. "Que eu, desarmado, trajando apenas uma camisola e morrendo de frio, pulasse do meu esconderijo, como um tolo romântico, para acabar sendo preso ou morto? Nesse caso, quem iria trazer as notícias a vocês? Quem seria capaz, agora, de mostrar o caminho até o acampamento dos Tchupwalas? Seja o senhor um herói, se quiser, Príncipe Bolo; outras pessoas preferem o bom-senso ao heroísmo."

"O senhor deveria pedir desculpas, Bolo", disse baixinho o Porta-Voz; e depois de muitas bravatas e carrancas, foi o que o Príncipe fez, dizendo: "Fui muito ríspido. Sinceramente, somos gratos pelas suas notícias".

"E tem mais uma coisa", disse Rashid. "Quando os soldados Tchupwalas iam arrastando a Princesa, ouvi um deles dizer algo terrível."

"O quê?", gritou Bolo, pulando da cadeira. "Se eles a insultaram..."

Rashid continuou: "Ouvi quando ele dizia o seguinte: 'A Grande Festa de Bezaban já está próxima. E nesse dia, por que não oferecer em sacrifício ao nosso Ídolo essa Princesa Gupi? Vamos costurar seus lábios, e dar-lhe o nome de Princesinha Muda — a Princesa *Khamosh*!'. E todos riram".

Um silêncio caiu na Sala do Trono. E naturalmente o primeiro a falar foi Bolo: "Agora não há mais um segundo a perder! Reúnam as forças armadas, todos os Páginas, todos os Capítulos, todos os Volumes! Vamos à guerra, vamos à guerra! Por Batchit, somente Batchit!".

"Por Batchit e o Oceano", lembrou o Leão Marinho.

"Sim, sim", disse o Príncipe Bolo, impaciente, "o Oceano também; naturalmente, é claro."

"Se vocês quiserem", disse Rashid, o contador de histórias, "posso levá-los até o acampamento dos Tchupwalas."

"Bom homem!", gritou Bolo, dando-lhe mais um tapão nas costas. "Eu agi mal com você; vejo agora que você é um campeão!"

"Se você vai", disse Haroun ao pai, "não pense que pode me deixar aqui."

Embora a Eterna Luz Solar de Gup desse a Haroun a estranha sensação de que o tempo não passava, ele percebeu que estava exausto. Não conseguia impedir que suas pálpebras caíssem, e seu corpo todo foi tomado por um bocejo tão magnífico que atraiu a atenção de todos naquela augusta Sala do Trono. Rashid Khalifa perguntou se Haroun poderia receber uma cama para passar a noite; e assim, apesar dos seus protestos ("Não estou com sono *nenhum* — de verdade, não estou com sono *mesmo!*"), Haroun foi despachado para a cama. O Página Tagarela recebeu ordens de levá-lo até seu quarto.

Tagarela foi conduzindo Haroun ao longo de corredores, subindo escadas, descendo escadas, embarafustando por outros corredores, abrindo portas, fazendo curvas, entrando em pátios, saindo de pátios, atravessando varandas e percorrendo mais corredores. Enquanto andavam, o Página (que parecia incapaz de conter suas palavras por mais um momento), soltou uma tirada anti-Batchit: "Garota boba! Agora, se a *minha* noiva fosse raptada porque foi *louca* a ponto de entrar na Zona da Meia-Luz, só pra ficar olhando *de boca aberta* pras *estrelas* no céu e, pior ainda, para pôr a *mão* naquela *ridícula* daquela *Muralha*, meu Deus, não imagine que *eu* iria começar uma guerra para trazê-la de volta! Eu iria é lhe dizer *tchau-tchau*, já vai *tarde*, especialmente considerando o seu *nariz*, os seus *dentes*, mas nem é preciso entrar nesses detalhes, e eu ainda nem falei no jeito que ela *canta*, você não acredita como é *horrível*! E em vez de deixá-la *apodrecer* por lá mesmo, todos nós temos de ir atrás dela e provavelmente acabar *morrendo*, porque não vamos conseguir enxergar direito naquela *escuridão...*".

"Falta muito pra chegar no meu quarto?", perguntou Haroun. "Não sei se aguento andar muito mais."

"E esses *uniformes*, você queria saber sobre os *uniformes*", continuou Tagarela, sem tomar conhecimento da pergunta e continuando, lépido e fagueiro, a percorrer salas, atravessar passagens e descer escadas em espiral. "Pois muito bem, você acha que foi *ideia de quem? Dela*, é óbvio, de *Batchit*! Ela decidiu 'tomar *em mãos* o guarda-roupa dos Pajens-Páginas da Casa Real', e transformou a gente em *cartas de amor* ambulantes! Essa foi a sua primeira ideia, e depois de uma eternidade tendo de usar aqueles textos cheios de *coraçõezinhos e gatinhos* e *beijinhos*, que davam até engulhos na gente, ela mudou de *ideia* e mandou reescrever *todas* as maiores histórias *do mundo* como se o Bolo lá dela fosse o herói, ou coisa parecida. Assim, agora em vez de Aladim, Ali Babá e Simbad, é Bolo, Bolo, Bolo, você *imagina*? O pessoal da Cidade de Gup *ri* na nossa *cara*, isso sem falar no que eles riem pelas nossas *costas*!"

Daí, com um sorriso triunfante, Tagarela parou numa porta extremamente imponente e anunciou: "Seu quarto!", com o que as portas se abriram de um só golpe e apareceram vários guardas, que agarraram os dois pela orelha e os mandaram dar o fora dali no mesmo instante, do contrário seriam jogados na masmorra mais profunda do palácio, pois tinham acabado de chegar no quarto de ninguém mais, ninguém menos que o próprio Rei Chattergy.

"Estamos perdidos, não estamos?", disse Haroun.

"Bem, digamos que este palácio é *complicado* e nós estamos um *pouquinho* perdidos", reconheceu Tagarela. "Mas não está *legal* o nosso *bate-papo*?"

Esta observação deixou Haroun tão exasperado que, já

morrendo de cansaço, fez um gesto largo de impaciência e bateu sem querer na cabeça de Tagarela, pegando o Página de surpresa e derrubando o gorro de veludo bordô da cabeça dele... ou melhor, da cabeça *dela*, pois quando o gorro caiu no chão uma torrente de cabelo negro e luzidio tombou como uma cascata sobre os ombros de Tagarela. "Por que você foi fazer isso?", lamentou-se o Página. "Agora você estragou *tudo*!"

"Você é menina", disse Haroun, fazendo um comentário um tanto óbvio.

"*Shhhh!*", fez Tagarela, enfiando outra vez o cabelo dentro do gorro. "Você quer que eu seja *despedida*?" Arrastou então Haroun para dentro de um quartinho e fechou a cortina para que ninguém os visse. "Você pensa que é *fácil* para uma garota conseguir um emprego desses? Você não sabe que nós, meninas, temos de *enganar* as pessoas *todos os dias da nossa vida*, para conseguirmos *qualquer coisa*? Agora você, deve ter recebido tudo na vida numa *bandeja de prata*! Aposto que te deram tudo na boquinha, com uma colherzinha de *ouro*; mas tem gente que precisa *lutar* na vida!"

"Quer dizer que só porque você é menina você não pode ser Pajem-Página?", perguntou Haroun, morrendo de sono.

"Aposto que *você* só faz aquilo que te mandam", retrucou Tagarela, exaltada. "Aposto que *você* come *tudo* que vem no prato, até a *couve-flor*. Aposto que você..."

"Eu, pelo menos", cortou Haroun, "seria capaz de fazer uma coisa perfeitamente simples como levar uma pessoa até o quarto dela." De repente Tagarela abriu um sorriso largo e malicioso: "Aposto que *você* sempre vai dormir quando te mandam. E imagino que não teria o *mínimo* interesse em subir no *teto* do palácio através de uma passagem secreta, *bem aqui*".

E assim, depois que Tagarela apertou um botão escondido num painel de madeira entalhada na parede do quartinho, e depois de subirem a escada que apareceu quando o painel deslizou de lado, Haroun sentou-se no teto plano do palácio, debaixo, naturalmente, da ofuscante luz do sol, e descortinou todo o panorama da Terra de Gup, inclusive o Jardim dos Prazeres, onde se faziam os preparativos de guerra, e a Lagoa, onde uma grande esquadra de pássaros mecânicos ia se reunindo, e ao longe avistou o Mar de Fios de Histórias, que estava correndo perigo. E de repente Haroun percebeu que nunca na vida tinha se sentido tão vivo, embora estivesse a ponto de cair de cansaço. E naquele exato momento, sem dizer palavra, Tagarela tirou do bolso três bolas macias, feitas de seda dourada, atirou-as no ar para refletirem a luz do sol, e começou a fazer malabarismos.

Jogava e apanhava as bolas, atrás das costas, por cima de uma perna, por baixo da outra, de olhos fechados, deitada no chão, até que Haroun ficou mudo de admiração; e de vez em quando jogava todas as bolas juntas no ar, enfiava a mãos nos bolsos e tirava mais esferas douradas, até fazer malabarismos com nove bolas, depois dez, depois onze. E a cada vez que Haroun pensava: "Não é possível que ela consiga manter todas as bolas no ar", ela acrescentava mais uma à sua galáxia rodopiante de esferas, cada uma parecendo um sol de seda macia.

Ocorreu a Haroun que os malabarismos de Tagarela lembravam as apresentações mais formidáveis de seu pai, Rashid Khalifa, o Xá do Blá-blá-blá. Finalmente encontrou voz para dizer: "Sempre pensei que contar histórias era como fazer malabarismos. É preciso manter uma porção de histórias diferentes no ar ao mesmo tempo, e ficar jogando todas elas pra cima e pra baixo, e quando a pessoa é craque não deixa cair nenhuma. Assim, quem sabe, fazer malabarismos também é mais ou menos como contar histórias".

Tagarela deu de ombros, apanhou todas as suas bolas douradas e guardou-as nos bolsos, dizendo: "Sobre *isso* não sei nada. Só queria que você soubesse *com quem* está lidando".

Haroun acordou muitas horas depois num quarto, na semiescuridão (tinham finalmente encontrado seu quarto, depois de pedir ajuda a outro Página, e Haroun adormeceu cinco segundos depois que Tagarela fechou as pesadas cortinas e deu boa-noite).

Alguém estava sentado em cima do seu peito; alguém que apertava sua garganta com força.

Era Tagarela. "Levante-se e *brilhe* como o Sol!", sussurrou ela em tom ameaçador. "E se você contar para *qualquer pessoa* a meu respeito, da próxima vez que você adormecer eu *não vou parar de apertar*; você pode ser um *bom menino*, mas eu, quando preciso, sou *muito má menina*."

"Não vou contar pra ninguém, prometo", disse Haroun, quase sem respirar, e Tagarela soltou sua garganta e deu um largo sorriso. "Você é legal, Haroun Khalifa. Agora levante dessa cama antes que eu te arraste. É hora de atender ao chamado do dever. O exército está no Jardim dos Prazeres, preparando-se para marchar."

7. NA ZONA DA MEIA-LUZ

"PRONTO", PENSOU HAROUN, bocejando de sono, "lá vou eu me meter numa outra História de Salvamento de Princesa. Será que esta também vai dar errado?" Não precisou esperar muito para saber a resposta. "Ah, uma coisinha", disse Tagarela, como quem faz uma observação casual. "Tomei a pequena *liberdade*, atendendo ao *pedido expresso* de um certo Gênio da Água, de retirar de debaixo do seu travesseiro a Ferramenta Desconectora que você *roubou* sem nem sequer *pedir licença*."

Horrorizado, Haroun começou a procurar freneticamente no meio das roupas de cama; mas o Desconector tinha sumido e, com ele, a maneira de arranjar uma entrevista com o Leão Marinho e conseguir para Rashid a renovação da assinatura da Água de Histórias... "Pensei que você fosse minha amiga", disse ele em tom acusador. Tagarela deu de ombros: "De qualquer forma, o seu plano está *totalmente* ultrapassado. Iff já me contou tudo; mas agora que o seu pai está aqui *em pessoa*, pode tratar dos problemas dele *sozinho*".

"Você não compreende", disse Haroun com tristeza. "Eu queria fazer isso por ele."

Ouviu-se uma fanfarra de trombetas vinda do Jardim dos Prazeres. Haroun pulou da cama e correu para a janela. Lá embaixo no Jardim havia uma grande agitação, ou *farfalhar* de Páginas. Centenas e centenas de pessoas extremamente delgadas, em uniformes retangulares, que de fato farfalhavam como papel (só que muito mais alto), corriam pelo Jardim da maneira mais desordenada, discutindo sobre a ordem exata em que deveriam se alinhar, e gritando: "*Eu* é que fico na sua frente!". "Não seja ridículo, isso é absurdo, é óbvio que sou *eu* que tenho de ficar na sua frente!..."

Haroun notou que todos os Páginas eram numerados, de modo que deveria ser simples resolver qual a sequência correta. Observou isso para Tagarela, que respondeu: "Acontece, meu senhor, que as coisas não são assim tão *simples* no *mundo real*. Há muitos Páginas com o mesmo número, de modo que eles têm de descobrir a que 'Capítulo' pertencem, de que 'Volume' e assim por diante. Além disso, também há muitos *enganos* nos uniformes, de modo que de qualquer jeito os números estão *completamente errados*".

Haroun ficou olhando enquanto os Páginas se acotovelavam, discutiam, brandiam o punho e tropeçavam um no outro, na mais total confusão, e observou: "Não me parece um exército muito disciplinado".

"Não julgue um *livro* pela *capa*", retrucou Tagarela, depois do que (evidentemente um tanto irritada) anunciou que não podia mais ficar esperando Haroun, pois já estava atrasada; e é claro que Haroun teve de sair correndo atrás dela, ainda na sua camisola vermelha com desenhos roxos, sem nem mesmo escovar os dentes nem pentear o cabelo, e sem ter tempo de apontar uma série de falhas no argumento dela. Enquanto corriam por corredores, subindo escadas, descendo escadas, passando por galerias, entrando em pátios, saindo de pátios, atravessando mais corredores, Haroun foi dizendo, ofegante: "Em primeiro lugar, eu não estava 'julgando o livro pela capa', como você disse, porque o que eu estava vendo eram os *Páginas*; e em segundo lugar, este aqui não é o 'mundo real', absolutamente".

"Ah, não, é?", retrucou Tagarela. "Esse é o *problema* de vocês, que vêm dessas *cidades tristes*: na opinião de vocês um lugar tem de ser *horroroso* e *insosso* como água da pia pra vocês acreditarem que é real."

"Você quer me fazer um favor?", pediu Haroun, sem fôlego. "Dá pra você perguntar pra alguém qual é o caminho?"

Quando chegaram ao jardim, o exército Gupi — ou "Biblioteca" — já tinha completado a "Paginação e Cotejo" — isto é, o processo de alinhar-se de maneira organizada, que Haroun tinha observado da janela do seu quarto. "*Tchau tchau!*", disse Tagarela, e correu em direção ao destacamento dos Páginas Reais, que estavam a postos, bem aprumados com seus gorros de veludo bordô, ao lado do príncipe Bolo, que ia fazendo piruetas e acrobacias arrojadas (mas um pouquinho tolas) no seu cavalo voador mecânico.

Haroun não teve dificuldade para localizar Rashid. Era claro que seu pai também tinha dormido demais e, como Haroun, ainda estava todo despenteado e trajando nada mais que uma camisola azul toda amassada e um tantinho suja.

Ao lado de Rashid Khalifa, num pequeno pavilhão cheio de fontes de água dançante, e agora acenando alegre para Haroun, com o Desconector na mão — estava Iff, o Gênio da Água de barba azul.

Haroun saiu correndo a toda e chegou junto deles bem a tempo de ouvir o Gênio da Água dizer: "...grande honra de conhecê-lo. Especialmente agora que não é mais necessário chamá-lo de Pai do Ladrãozinho". Rashid franzia a testa, confuso, quando Haroun chegou correndo e lhe disse: "Depois te explico!". Lançou então para Iff um olhar que conseguiu reduzir ao silêncio até o Gênio da Água e, para mudar de assunto, acrescentou: "Papai, você não gostaria de encontrar meus *outros* amigos novos — quer dizer, os *realmente* interessantes?".

"Por Batchit e pelo Oceano!"

As forças Gupi estavam prontas para partir. Os Páginas subiram a bordo das longas Aves-Balsa que os esperavam na Lagoa; os Jardineiros Flutuantes e os Peixes Milbocas também já estavam a postos; os Gênios da Água, montados em máquinas voadoras de diversos tipos, cofiavam, impacientes, as suíças coloridas. Rashid Khalifa montou no Gavião Mas-Mas, atrás de Iff e de Haroun. Ao lado estavam Mali, Galpi e Bagha. Haroun os apresentou a seu pai, e com um grande grito de guerra, partiram todos.

"Que estúpidos nós fomos de não vestir uma roupa mais adequada!", lamentou Rashid. "Com essas camisolas, daqui a umas horas vamos virar sorvete."

"Felizmente", disse Iff, "eu trouxe um suprimento de Laminagens. Digam por favor e obrigado educadamente, e posso dar algumas para vocês."

"Por favor e obrigado educadamente", disse Haroun.

Descobriram então que as Laminagens eram roupas fininhas e transparentes, brilhantes como asas de libélulas. Haroun e Rashid enfiaram por cima da camisola umas camisas compridas feitas deste material, e calçaram também longas meias. Para seu grande espanto, as Laminagens se colaram tanto às suas camisolas e suas pernas que davam a impressão de terem desaparecido completamente. Haroun percebia apenas uma leve fosforescência nas roupas e na pele, que antes não havia.

"Agora vocês não vão mais sentir frio", garantiu Iff.

Já tinham deixado a Lagoa, e a Cidade de Gup ia ficando pequenina lá para trás; o Gavião-Avião acompanhava os outros pássaros mecânicos, que avançavam velozes, espalhando borrifos de água por toda parte. "Como a vida muda!", pensou Haroun, maravilhado. "Na semana passada eu era um menino que nunca tinha visto neve na minha vida, e agora estou aqui, indo para um deserto de gelo onde o sol nunca brilha, usando nada mais do que a minha camisola de dormir, e tendo como única proteção contra o frio um negócio esquisito, transparente. É como sair do fogo e pular na frigideira."

"Ridículo!", disse o Gavião MasMas, lendo os pensamentos de Haroun. "Você quer dizer que é como sair da geladeira e pular no freezer."

"É incrível!", exclamou Rashid Khalifa, "ele falou sem mexer o bico!"

A esquadra Gupi já ia bem avançada. Aos poucos Haroun foi se dando conta de um barulho que começou como um murmúrio surdo, foi crescendo até virar um zumbido e finalmente tornou-se um tremendo rugido. Levou algum tempo para perceber que aquele era o vozerio dos Gupis, empenhados em conversas e discussões incessantes e cada vez mais intensas. "O som é transportado pela água", lembrou-se Haroun, mas esse volume de som seria capaz de se espalhar até num deserto seco e árido. Gênios da Água, Jardineiros Flutuantes, Peixes Milbocas e Pajens-Páginas, todos discutiam acaloradamente os prós e os contras da estratégia que deveriam adotar.

Galpi e Bagha eram tão eloquentes sobre esse assunto como todos os outros Milbocas, e seus protestos borbulhantes foram ficando cada vez mais altos, à medida que iam avançando rumo à Zona da Meia-Luz e à Terra de Tchup:

"Salvar Batchit, que tolo plano!"

"O que importa é salvar o Oceano!"

"Vamos percorrer todo o terreno!"

"E encontrar a Fonte do Veneno!"

"Salvar o Mar é a nossa lei!"

"O Mar vale mais do que a filha de um rei!"

Haroun ficou um pouco chocado. "Mas que conversa subversiva!", disse ele; e Iff, Galpi, Bagha e Mali ficaram muito interessados. "O que é uma subversiva?", perguntou Iff, curioso. "É uma planta?", perguntou Mali.

"Vocês não estão entendendo", Haroun explicou. "Subversiva é um Adjetivo."

"Absurdo!", disse o Gênio da Água, "os Adjetivos não conversam."

"Ora, dizem que o dinheiro fala", Haroun se viu argumentando (pelo jeito, aquela mania de discutir sem parar era contagiosa), "sendo assim, por que um Adjetivo não haveria de falar? Aliás, o que impede qualquer coisa de falar?"

Os outros ficaram calados e emburrados por um momento, e depois simplesmente mudaram de assunto, voltando à questão mais quente do dia: o que deveria ter prioridade, salvar Batchit ou o Oceano? Mas Rashid Khalifa deu uma piscada para Haroun, que com isso se sentiu um pouco menos arrasado.

Lá das Aves-Balsa chegavam vozes numa discussão acalorada: "Pois eu digo que ir atrás de Batchit é uma corrida sem pé nem cabeça!". "Sim, e o pior é que ela mesma não tem pé e muito menos cabeça!" "Como se atreve, meu senhor? É da nossa amada Princesa que o senhor está falando; da prometida e formosa noiva do nosso estimado Príncipe Bolo!" "Formosa? Já esqueceu aquela voz, aquele nariz, aqueles dentes...?" "Está bem, está bem, não precisa entrar em detalhes!", Haroun notou que o velho General Kitab, em pessoa, montado num cavalo voador mecânico parecido com o de Bolo, ia rápido de Ave-Balsa em Ave-Balsa, para acompanhar as várias discussões; e tamanha era a liberdade que evidentemente se permitia aos Páginas e aos outros cidadãos de Gup, que o velho general parecia perfeitamente satisfeito de ouvir esses insultos e tiradas de insubordinação, sem nem piscar um olho. Na verdade, Haroun teve a impressão de que muitas vezes era o próprio general quem provocava essas polêmicas, e depois passava a participar com alegre entusiasmo, às vezes defendendo um lado e outras vezes (só para se divertir) expressando o ponto de vista oposto.

"Que exército!", refletiu Haroun. "Se algum soldado se comportasse dessa maneira na Terra, seria condenado por uma corte marcial no mesmo instante."

"Mas mas mas", disse o Gavião MasMas, "qual é o sentido de se dar às pessoas Liberdade de Expressão, e depois dizer que elas não devem utilizá-la? E não é o Poder da Palavra o maior de todos os Poderes? Então decerto deve ter plenas garantias de exercício!"

"Bom, não há dúvida de que hoje ele está se exercitando um bocado", respondeu Haroun. "Acho que vocês, Gupis, não conseguiriam guardar um segredo, nem que fosse para salvar a própria vida."

"Mas nós poderíamos *contar* um segredo para salvar nossa vida", respondeu Iff. "Eu, por exemplo, conheço uma grande quantidade de segredos, muito suculentos e de grande interesse."

"Eu também", disse o Gavião MasMas, sem mexer o bico. "Vamos começar?"

"Não", cortou Haroun categoricamente. "Não vamos começar!", Rashid não cabia em si de satisfação, e riu, divertido: "Ora, ora, jovem Haroun Khalifa, você arranjou mesmo uns amigos muito engraçados!".

E assim a armada Gupi prosseguiu alegre em seu caminho, com todos os membros ocupados em analisar os planos de batalha mais secretos do General Kitab (que, naturalmente, tinha o maior prazer em revelá-los ao primeiro que viesse perguntar). Esses planos foram analisados, dissecados, racionalizados, mastigados, ruminados, exaltados, desprezados, e até mesmo, depois de intermináveis disputas, acatados. E quando Rashid Khalifa, que começava a duvidar tanto quanto Haroun do valor de tanto falatório, se arriscou a colocar isso em questão — então Iff, MasMas, Mali, Galpi e Bagha começaram a debater também esse ponto, com a mesma energia e ardor.

Só o Príncipe Bolo se mantinha distanciado. Cavalgava pelo céu no seu alazão mecânico voador, à frente das forças Gupi, sem dizer nada, sem olhar para a direita nem para a esquerda, os olhos fixos no horizonte ao longe. Para ele não havia discussão: Batchit vinha primeiro, isso era ponto pacífico.

"Como é possível", perguntou Haroun, "que Bolo sinta tanta certeza, se todos os outros Gupis desta esquadra levam a vida inteira para se decidir a respeito de qualquer assunto que seja?"

Foi Mali, o Jardineiro Flutuante, que vinha caminhando ao seu lado, em grandes passadas sobre a água, quem respondeu na sua voz de flor, pelos lábios carnudos de lilás:

"É o Amor. É tudo pelo Amor. O que é uma coisa maravilhosa e arrojada. Mas também pode ser muito tola."

Aos poucos a luz foi diminuindo, e logo começou a sumir rapidamente. Estavam na Zona da Meia-Luz!

Fitando a distância, lá onde a escuridão se condensava como uma nuvem de tempestade, Haroun sentiu sua coragem vacilar. "Com essa nossa esquadra absurda", pensou, desesperado, "como poderemos vencer aqui neste outro mundo, onde não há nem luz para se enxergar o inimigo?" Quanto mais se aproximavam das margens da Terra de Tchup, mais assustadora a perspectiva de enfrentar o Exército Tchupwala. Haroun se convenceu de que era uma missão suicida; seriam derrotados, Batchit iria perecer, o Oceano ficaria irremediavelmente arruinado, e todas as histórias chegariam a um fim definitivo. O céu estava agora de um roxo mortiço, refletindo seu estado de espírito fatalista.

"Mas mas mas não leve isso a sério!", interveio o Gavião MasMas, com bondade. "Você está sofrendo de uma Sombra no Coração. Isso acontece com a maioria das pessoas na primeira vez que avistam a Zona da Meia-Luz e a Escuridão que se estende para além dela. Eu, naturalmente, não sofro disso, pois não tenho Coração: mais uma vantagem, aliás, de ser uma máquina. Mas mas mas não se preocupe. Você vai se acostumar. Isso passa."

"Bem, vamos olhar o lado positivo das coisas", disse Rashid Khalifa. "Essas laminagens funcionam mesmo! Não estou sentindo o mínimo frio."

Galpi e Bagha tossiam e cuspiam cada vez mais. Já se avistava o litoral de Tchup, e que paisagem desolada era aquela! E nessas águas, perto da costa, o Mar dos Fios de Histórias estava na maior imundície que Haroun já tinha visto até agora. Os venenos tinham desbotado as cores dos Fios de Histórias, deixando-os todos de um tom acinzentado, sem vida; e eram as cores que continham as melhores qualidades das histórias: nelas estavam os códigos que faziam as histórias serem vívidas, cheias de leveza e vivacidade. Assim, a perda da cor era um dano terrível. Pior ainda, nessa área o Oceano tinha perdido muito do seu calor. A água não emitia mais aquele vapor delicado, sutil, capaz de encher as pessoas de sonhos fantásticos; aqui ela era fria, e até pegajosa.

O veneno estava esfriando o Oceano.

Galpi e Bagha entraram em pânico:

"Estamos (cof, cof) perdidos! Que pesadelo!"

"O Mar (cof, cof) vai virar uma pedra de gelo!"

Chegou então a hora de desembarcar no litoral de Tchup.

Naquelas praias envoltas numa luz mortiça nenhum pássaro cantava. Nenhum vento soprava. Nenhuma voz falava.

Os passos não faziam nenhum barulho, como se o cascalho fosse recoberto por algum material desconhecido que abafava o som. O ar tinha um cheiro ruim, de coisa velha e guardada. Arbustos cheios de espinhos se amontoavam em volta das árvores — árvores sem folhas, de casca branca, que pareciam pálidos fantasmas. As numerosas sombras pareciam estar vivas. Porém os Gupis não foram atacados quando desembarcaram; não houve refregas na areia. Nenhum arqueiro se escondia entre os arbustos. Tudo estava quieto, parado e frio. Parecia que o silêncio e a escuridão se contentavam em esperar o momento propício.

"Quanto mais eles nos atraírem para dentro da zona escura, mais vantagem eles levam", disse Rashid, numa voz apagada. "E eles sabem que nós vamos chegar, pois estão mantendo Batchit prisioneira."

"Pensei que o Amor conquistava tudo", pensou Haroun, "mas nesta ocasião parece que o que ele vai fazer é um picadinho de todos nós."

Foi montada uma cabeça de ponte e levantaram-se as tendas para armar o primeiro acampamento Gupi. O General Kitab e o Príncipe Bolo mandaram Tagarela buscar Rashid Khalifa. Haroun, contentíssimo de ver novamente o Página, foi junto com seu pai. "Contador de histórias!", chamou Bolo, no seu jeito mais capa e espada, "chegou a hora de você nos levar ao acampamento Tchupwala. Grandes feitos nos esperam! A libertação de Batchit não pode mais tardar!"

Haroun e Tagarela, juntamente com o General, o Príncipe e o Xá do Blá-blá-blá foram caminhando pé ante pé em meio aos arbustos de espinhos, para fazer o reconhecimento da área; e depois de pouco tempo, Rashid parou e apontou, sem dizer palavra.

À frente havia uma pequena clareira, e nesse espaço sem vegetação viram um homem que mais parecia uma sombra, segurando uma espada cuja lâmina era negra como a noite. O homem estava sozinho, porém rodopiava, saltava, dava pontapés e golpeava com a espada sem cessar, como se estivesse lutando contra um inimigo invisível. Quando se aproximaram, Haroun viu que o homem estava lutando *contra a sua própria sombra*; a qual, por sua vez, lhe devolvia os golpes com igual ferocidade, atenção e destreza.

"Olhe!", sussurrou Haroun, "os movimentos da sombra não combinam com os do homem!" Rashid o fez calar-se com um olhar, mas o que ele havia dito era verdade: era evidente que a sombra tinha vontade própria. Ela escapava e se esquivava; esticava-se até ficar comprida como uma sombra projetada pelos últimos raios do sol poente, depois se encolhia toda, compacta como uma sombra do meio-dia, quando o sol está bem a pino. Sua espada se alongava e diminuía, seu corpo se retorcia e se modificava constantemente. "Como poderia alguém derrotar um adversário assim?", pensou Haroun.

A sombra estava unida ao guerreiro pelos pés, mas fora isso parecia ser inteiramente livre. Era como se a sua vida transcorrida numa terra de trevas, como uma sombra escondida entre as sombras, lhe desse poderes jamais sonhados pelas sombras do mundo onde reinava a iluminação convencional. Era uma cena impressionante.

O guerreiro também era uma figura extraordinária. Seu cabelo longo e liso, amarrado num basto rabo de cavalo, chegava até a cintura. Seu rosto estava pintado de verde, com os lábios escarlates, os olhos e as sobrancelhas de um negro exagerado, e listas brancas nas faces. Seu pesado traje de batalha, todo de couro, com grossos protetores nas coxas e nos ombros, fazia com que ele parecesse ainda maior do que era. E sua agilidade atlética e sua perícia com a espada ultrapassavam qualquer coisa que Haroun já tinha visto. Por mais que a sombra o atacasse com golpes astuciosos, o guerreiro respondia à altura. E enquanto lutavam, tocando-se pelos dedos

dos pés, Haroun começou a pensar que aquele combate era uma dança de grande beleza e graça, uma dança executada em perfeito silêncio, pois a música só existia dentro da cabeça dos dançarinos.

Foi então que notou os olhos do guerreiro, e um frio lhe bateu no coração. Que olhos aterrorizantes! O fundo, em vez de branco, era *negro*; a íris era cinzenta como a penumbra, e as pupilas brancas como leite. "Não admira que os Tchup-walas gostem da escuridão", compreendeu Haroun. "Devem ficar cegos como uns morcegos na luz do sol, pois seus olhos são ao contrário, como o negativo de um filme que alguém esqueceu de revelar."

Enquanto observava a dança marcial do Guerreiro da Sombra, Haroun pensava nessa estranha aventura em que tinha se envolvido. "Quantos opostos estão em guerra nesta batalha entre Gup e Tchup!", pensou com admiração. "Gup é clara e Tchup é escura. Gup é quente e Tchup é fria como gelo. Gup é cheia de burburinho e tagarelice, enquanto Tchup é silenciosa como uma sombra. Os Gupis amam o Oceano, os Tchupwalas tentam envenená-lo. Os Gupis ado-ram as histórias e as conversas; os Tchupwalas, ao que pare-ce, as odeiam com todas as forças." Era uma guerra entre o Amor (pelo Oceano, ou pela Princesa) e a Morte (que era o que o Mestre do Culto, Khattam-Shud, tinha em mente para o Oceano, e para a Princesa também).

"Mas a coisa não é assim tão simples", pensou consigo, pois a dança do Guerreiro da Sombra mostrou-lhe que o silêncio também tinha sua graça e beleza (assim como a fala pode ser feia e deselegante), e que a Ação podia ser tão nobre como as Palavras; e que as criaturas da noite podiam ser tão belas como os filhos da luz. "Se os Gupis e os Tchupwalas não se odiassem tanto", pensou ele, "poderiam descobrir que o outro lado é bem interessante. Dizem que os opostos se atraem."

Bem nesse momento o Guerreiro da Sombra parou, atento; voltou seus estranhos olhos para o arbusto atrás do qual se escondia o grupo de Gupis, e projetou sua Sombra naquela direção. A Sombra se levantou então sobre eles, segurando sua espada imensamente alongada. O Guerreiro da Sombra (guardando a *sua* espada na bainha, o que não teve nenhum efeito sobre a Sombra) veio vindo devagar até o esconderijo do grupo. Suas mãos se agitavam violentamente, como numa dança de fúria ou de ódio. Cada vez mais rápidos, cada vez mais enfáticos se tornaram seus movimentos; e então, num gesto de desgosto, talvez até de repulsa, deixou cair os braços e começou (oh, horror dos horrores!) a falar.

8. GUERREIROS DAS SOMBRAS

NO ESFORÇO DE PRODUZIR OS SONS, o Guerreiro da Sombra contorcia todo o seu rosto, que já era impressionante (a pele verde, os lábios escarlates, as riscas brancas etc.), fazendo caretas horríveis. "Gogogol!", ele gaguejava. E tossia: "Kafkafka!".

"O quê? Que é isso? O que esse sujeito está dizendo?", perguntou bem alto o Príncipe Bolo. "Não consigo entender palavra!"

"Quanta *pose*, francamente!", Tagarela sussurrou para Haroun. "Esse nosso Bolo! Falando tão *alto* e de um jeito tão *mal-educado*, achando que assim nós não vamos perceber que ele está tremendo nas *calças* de tanto *medo!*"

Haroun ficou pensando: por que será que Tagarela continuava a serviço do Príncipe Bolo, já que tinha um conceito tão baixo daquele cavalheiro? Mas ficou de boca fechada, em parte porque não queria que ela se virasse contra *ele* com uma resposta cortante e desdenhosa; e em parte porque tinha começado a gostar muito dela, e assim já se inclinava a achar aceitável qualquer opinião dela; mas principalmente porque havia uma gigantesca Sombra, com uma imensa espada, se erguendo sobre eles, e um Guerreiro grunhindo e cuspindo em cima deles, a poucos passos; em suma, não era hora para bate-papo.

"Se, como dizem, o povo da Terra de Tchup quase não fala mais hoje em dia por causa dos decretos do Mestre do Culto, então não admira que esse Guerreiro tenha perdido temporariamente o controle da voz", explicava Rashid Khalifa ao Príncipe Bolo, que não se deixou impressionar:

"Não gosto nem um pouco disso. Francamente, não sei por que as pessoas não conseguem falar direito. Não compreendo uma coisa dessas!"

O Guerreiro da Sombra, ignorando o Príncipe, continuava fazendo rápidos gestos de mão para Rashid, e por fim conseguiu emitir algumas palavras com uma voz rouca e cavernosa: "Morte. Spok Obi Ano Novo".

"Ah, então é um crime que ele está planejando!", gritou Bolo, já com a mão no punho da espada. "Pois muito bem, as coisas *não* vão ser como ele quer, *isso* eu garanto!"

"Bolo", disse o General Kitab, "puxa vida, quer fazer o favor de ficar quieto? Caramba, esse Guerreiro está tentando nos dizer alguma coisa!"

Os gestos do Guerreiro da Sombra se tornaram mais agitados, já desesperados: retorcia os dedos em diferentes posições, virava as mãos em diferentes ângulos, apontava para várias partes do corpo, e repetia com voz gutural, enrolando a língua: "Morte. Morte. Spok Obi Ano Novo".

Rashid Khalifa deu um tapão na testa e exclamou: "Já sei! Que tolo fui eu! Ele está falando fluentemente conosco, o tempo todo!".

"Não seja ridículo", atalhou o Príncipe Bolo. "Você chama esses grunhidos de *fluência*?"

"São os movimentos das mãos", respondeu Rashid, mostrando considerável paciência com os apartes de Bolo. "Ele está usando a Linguagem dos Gestos. E o que ele disse não foi 'morte', mas sim *Mudra*. É o nome dele. Ele está tentando se apresentar! *Mudra. Fala Abinaya*. É isso que ele está dizendo! 'Abinaya' é o nome de uma língua, a Linguagem dos Gestos, a mais antiga de todas, e que, aliás, eu por acaso conheço."

Mudra e sua Sombra no mesmo instante começaram a balançar furiosamente a cabeça, fazendo que sim. Agora a Sombra também embainhou sua espada e começou a usar a Linguagem dos Gestos, tão depressa como o próprio Mudra, de modo que Rashid foi obrigado a pedir: "Um momento! Um de cada vez, por favor. E devagar! Faz tempo que eu não pratico, vocês estão indo muito rápido!".

Depois de ficar alguns momentos "escutando" as mãos de Mudra e de sua Sombra, Rashid virou-se para o General Kitab e o Príncipe Bolo com um sorriso. "Não há por que se preocupar. Mudra é um amigo. E, aliás, este é um feliz encontro, pois temos aqui nada mais, nada menos que o Campeão dos Guerreiros, considerado pela maioria dos Tchupwalas como a segunda autoridade da Terra de Tchup, abaixo apenas do próprio Khattam-Shud, o Mestre do Culto."

"Se ele é o homem número dois de Khattam-Shud", atalhou o Príncipe Bolo, "então estamos mesmo com sorte! Vamos prendê-lo e acorrentá-lo, e dizer ao Mestre do Culto que só o soltaremos depois que recebermos de volta Batchit sã e salva."

"E posso saber de que maneira você pretende capturá-lo?", perguntou calmamente o General Kitab. "Sabe como é, não creio que ele *deseje* ser capturado. Aa-rrumpf!"

"Ouçam, por favor", pediu Rashid. "Mudra não é mais aliado do Mestre do Culto. Ele ficou revoltado com a crueldade e o fanatismo dos seguidores de Bezaban, o ídolo de gelo, um ídolo sem língua, e rompeu relações com Khattam-Shud. Ele veio até aqui, a este deserto da semiescuridão, para pensar no que fazer agora. Se vocês quiserem, posso traduzir o que ele diz em Abinaya."

O General Kitab concordou, e Mudra começou a "falar". Haroun notou que a Linguagem dos Gestos abrangia mais do que as mãos. A posição dos pés também era importante, assim como os movimentos dos olhos. Além disso, Mudra tinha um controle fenomenal sobre cada músculo do rosto. Conseguia fazer cada pedacinho da sua cara pintada de verde se torcer e retorcer de um jeito extraordinário; e isso também fazia parte do seu "falar" em Abinaya.

"Não pensem que todos os Tchupwalas seguem Khat-tam-Shud ou adoram Bezaban, o ídolo dele", *disse* Mudra no seu jeito silencioso, dançante (e Rashid traduziu suas "palavras" para a linguagem comum). "A maioria simplesmente tem pavor dos grandes poderes de bruxaria do Mestre do Culto. Porém, se ele fosse derrotado, a maioria das pessoas de Tchup se voltaria para mim; e apesar de sermos guerreiros, eu e minha Sombra, nós dois somos a favor da Paz."

Foi então a vez da Sombra "falar". "Vocês devem compreender que na Terra de Tchup, as Sombras são consideradas em pé de igualdade com as pessoas às quais estão ligadas", começou ela (sempre com Rashid traduzindo). "Os Tchupwalas vivem no escuro, como vocês sabem, e na escuridão uma Sombra não precisa ter uma única forma o tempo todo. Algumas Sombras, como eu mesma, aprendem a se modificar simplesmente desejando isso. Imaginem as vantagens! Se uma Sombra não gosta do tipo de roupas ou do penteado da pessoa a quem está ligada, pode simplesmente escolher outro estilo para si mesma! A Sombra Tchupwala pode ser graciosa como uma bailarina, mesmo que seu proprietário seja desajeitado como um urso. Compreendem? E tem mais: na Terra de Tchup, é comum que a Sombra tenha uma personalidade mais forte do que a Pessoa, ou Ser, ou Substância à qual está ligada! Assim, muitas vezes é a Sombra quem conduz, e a Pessoa, Ser ou Substância quem a acompanha. E é claro que pode haver brigas entre a Sombra e a respectiva Substância, Ser ou Pessoa; há ocasiões em que cada um puxa numa direção — quantas vezes já presenciei isso! —, mas também acontece de haver uma genuína parceria e respeito recíproco. Assim, fazer a Paz com os Tchupwalas significa também fazer a Paz com suas Sombras. E outra coisa: também entre as Sombras o Mestre do Culto, Khattam-Shud, andou criando problemas terríveis."

Nesse ponto Mudra, o Guerreiro da Sombra, retomou a

narrativa. Cada vez mais depressa suas mãos se moviam; seus músculos faciais se contraíam e retorciam num frenesi, e suas pernas dançavam, rápidas e ágeis, de modo que Rashid precisava fazer um grande esforço para acompanhá-lo. "A magia negra de Khattam-Shud já teve efeitos tenebrosos", revelou Mudra. "Ele já mergulhou tão fundo na Arte Negra da bruxaria que ele próprio se tornou Sombrio — transformou-se num ser mutável, escuro, mais semelhante a uma Sombra do que a uma Pessoa. E à medida que foi ficando mais parecido com uma Sombra, sua Sombra foi ficando mais parecida com uma Pessoa. Assim, agora chegou um ponto em que não é mais possível dizer qual é a Sombra de Khattam-Shud e qual é o seu Ser substancial, pois ele fez algo que nenhum outro Tchupwala jamais sonhou fazer: separou-se da sua Sombra! Ele anda por aí na escuridão, completamente sem Sombra, e sua Sombra vai aonde bem entende. *O Mestre do Culto, Khattam-Shud, consegue estar em dois lugares ao mesmo tempo!*"

Nesse ponto Tagarela, que vinha fitando o Guerreiro da Sombra com um jeito muito parecido com adoração ou devoção, exclamou: "Mas essa é a *pior* notícia do *mundo*! Já era quase *impossível* derrotá-lo *uma vez* — e agora você vem dizer que temos de derrotá-lo *duas vezes*?".

"Exatamente", respondeu a Sombra de Mudra com gestos desconsolados. "E tem mais: esse novo Khattam-Shud, o duplo, esse homem-sombra e sombra-homem, já prejudicou demais a amizade entre os Tchupwalas e suas Sombras. Hoje em dia muitas Sombras se ressentem por estarem ligadas aos Tchupwalas pelos pés, e têm ocorrido muitas brigas."

"Tristes tempos são estes", concluiu Mudra com seus gestos, "quando um Tchupwala não pode confiar nem na sua própria Sombra!"

Caiu um silêncio, enquanto o General Kitab e o Príncipe Bolo refletiam sobre tudo o que Mudra e sua Sombra tinham "dito". O Príncipe Bolo então exclamou: "Mas por que nós havemos de acreditar nessa criatura? Pois ele já não reconheceu que traiu seu próprio líder? Será que agora vamos começar a fazer acordos com traidores? Como podemos ter certeza de que isso também não é parte da sua traição — quem sabe ele está tramando alguma coisa, um plano oculto, uma armadilha?".

Bem, o General Kitab, como Haroun já tinha observado, era normalmente o mais afável dos homens, e dava tudo por uma boa discussão; mas nessa ocasião ele ficou vermelho, perturbou-se bastante e por fim disse: "Um momento, Alteza! Quem está no comando aqui sou eu. Segure a língua, ou já já o senhor vai voltar para a Cidade de Gup, e outra pessoa vai ter de salvar a sua Batchit no seu lugar; e o senhor não ia gostar nada disso, creio eu! Com mil raios e trovões, não ia mesmo!". Tagarela pareceu deliciada com essa reprimenda; Bolo ficou com um ar furioso, mas segurou a língua.

O que foi uma boa coisa, pois a Sombra de Mudra reagiu à explosão de Bolo entrando num verdadeiro frenesi de modificações: cresceu até ficar enorme, daí se coçou toda, depois se transformou na silhueta de um dragão cuspindo fogo, e logo em outras criaturas: um ogro, uma tarântula, uma medusa, uma hidra. E enquanto a Sombra se comportava dessa maneira agitadíssima, o próprio Mudra recuou alguns passos, encostou num toco de árvore e fingiu estar morrendo de tédio: examinava as unhas, bocejava, girava os polegares. "Esse Guerreiro e a sua Sombra formam uma bela dupla", pensou Haroun. "Cada um faz uma exibição contrária à do outro, de modo que ninguém fica sabendo o que eles realmente sentem — o que pode ser, naturalmente, uma terceira coisa completamente diferente."

O General Kitab se aproximou de Mudra com grande respeito, até exagerado: "Escute, Mudra, você não gostaria de nos ajudar? Caramba, a coisa não vai ser nada fácil lá na

Escuridão de Tchup! Para nós seria ótimo contar com um sujeito como você — Campeão dos Guerreiros e tudo o mais. Então, o que me diz?".

O Príncipe Bolo foi sentar-se, emburrado, do outro lado da clareira, enquanto Mudra andava de um lado para outro, pensando. Começou então a gesticular outra vez, e Rashid traduziu suas "palavras":

"Sim, vou ajudar, pois não há dúvida que o Mestre do Culto precisa ser derrotado. Mas há uma decisão que vocês têm de tomar."

"Aposto que eu sei o que é", cochichou Tagarela no ouvido de Haroun. "É *aquela mesma* que deveria ter sido tomada *antes* da nossa partida: o que salvar primeiro, Batchit ou o Oceano? Aliás", acrescentou ela, corando um pouco, "ele não é *demais*? Não é *tremendo, incrível, o máximo*? Estou falando do Mudra."

"Eu sei de quem você está falando", disse Haroun, com uma pontada de algo que talvez fosse ciúme. "É, parece que ele é legal."

"*Legal?*", sussurrou Tagarela. "*Só isso?* Como você pode dizer uma co..."

Mas aqui ela se interrompeu, pois as "palavras" de Mudra estavam sendo traduzidas por Rashid: "Como eu já lhes disse, agora existem dois Khattam-Shud. Um deles, neste exato momento, mantém a Princesa Batchit prisioneira na Cidadela de Tchup, e está planejando costurar seus lábios durante a Festa de Bezaban. O outro, como vocês devem saber, está na Zona Velha, tramando a destruição total do Mar dos Fios de Histórias."

Uma obstinação imensa se apoderou de Bolo. "General!", gritou o Príncipe de Gup, "diga o que quiser, uma Pessoa deve vir antes de um Oceano! Por maior que seja o perigo para os dois! Batchit deve vir primeiro; Batchit, minha garota, meu único amor! Seus lábios de cereja devem ser salvos da agulha do Mestre do Culto, e sem mais delongas! Afinal, vocês são o quê? Não têm sangue nas veias? Hein, General? E você também, Senhor Mudra: vocês são homens ou... ou... Sombras?"

"Não precisa insultar as Sombras", respondeu a Sombra de Mudra, com gestos de tranquila dignidade. (Bolo não tomou conhecimento.)

"Está bem", concordou o General Kitab. "Está bem, caramba, que se dane o resto! Mas precisamos mandar alguém investigar a situação na Zona Velha. Mas quem? Bem, deixe-me ver... Aa-rrumpf..."

Foi nesse instante que Haroun também limpou o pigarro da garganta e se ofereceu como voluntário:

"Eu vou."

Todos os olhos se voltaram para ele, ali postado na sua camisola vermelha de desenhos roxos, sentindo-se bastante ridículo. "O quê? Que foi isso que você disse?", perguntou o Príncipe Bolo, irritado.

"O senhor antes achava que meu pai era um espião a serviço de Khattam-Shud, contra vocês", disse Haroun. "Agora, se o senhor e o General quiserem, posso espionar a serviço de vocês, e ver o que anda fazendo Khattam-Shud, ou sua Sombra, quem quer que esteja lá na Zona Velha, envenenando o Oceano."

"E por que, com mil raios e trovões, você iria ser voluntário para uma missão tão perigosa?", quis saber o General Kitab. "*Boa pergunta*", pensou Haroun. "*Devo ser um idiota de marca maior.*" Mas o que ele disse em voz alta foi o seguinte:

"Bem, General, é o seguinte. Toda a minha vida ouvi falar no maravilhoso Mar de Histórias, nos Gênios da Água e tal, mas só comecei a acreditar em tudo isso quando vi Iff no meu banheiro, outro dia. E agora que já cheguei até Kahani e já vi com meus próprios olhos como é bonito o Oceano, com seus Fios de Histórias de tantas cores, cores que eu nem sei como se chamam, e seus Jardineiros Flutuantes e Peixes Milbocas e tudo o mais, bem, pode ser que já seja tarde demais, pois o Oceano inteiro vai morrer a qualquer momento se nós não fizermos alguma coisa. E acontece, General, que eu não gosto dessa ideia, nem um pouquinho. Não gosto da ideia de que todas as boas histórias do mundo vão dar errado e desandar para todo o sempre, ou simplesmente morrer e fim. Como eu já disse, não faz muito tempo que acredito no Oceano, mas quem sabe ainda não seja tarde para eu fazer a minha parte."

"Pronto", pensou ele, *"você agora conseguiu bancar o completo idiota!"* Mas Tagarela estava olhando para ele de um jeito muito parecido com o que vinha olhando para Mudra, e isso era agradável, não se podia negar. Ele então percebeu a expressão no rosto do seu pai, e pensou: *"Ah, essa não! Já sei o que ele vai dizer..."*.

"Há mais coisas em você, jovem Haroun Khalifa, do que se vê num primeiro olhar", disse Rashid.

"Ah, esqueça!", disse Haroun, furioso. "Faz de conta que eu não falei nada!"

O Príncipe Bolo se aproximou a largos passos, e dando um tapão nas costas de Haroun que o deixou sem fôlego, exclamou: "Fora de cogitação! Esquecer o que você falou? De maneira nenhuma! Meu jovem, isso jamais será esquecido! General, eu lhe pergunto: este rapaz não é a pessoa certa para essa tarefa? Sim, pois ele é como eu: um escravo do Amor!". Aqui Haroun ficou vermelho, e evitou olhar para Tagarela.

"Sim, é verdade!", continuou o Príncipe Bolo, andando para lá e para cá e agitando os braços de uma maneira impetuosa (e um tantinho tola). "Assim como a minha grande paixão, *mon amour*, me leva para Batchit, sempre para Batchit, assim o destino deste garoto é salvar aquilo que ele ama, isto é, o Mar de Histórias."

"Muito bem", concordou o General Kitab. "Jovem Haroun, você será o nosso espião. Você merece, com mil raios e trovões! Escolha logo seus companheiros e pode ir pegando a estrada." Sua voz parecia ríspida, mas na verdade, com esse tom severo ele tentava esconder sua preocupação. "Pronto, é o fim", pensou Haroun. "Tarde demais para recuar."

"E atenção, muito cuidado!", exclamou Bolo, dramático. "Trate de esgueirar-se pelas sombras! Ver tudo, mas sem ser visto! Você será também, de certa forma, um Guerreiro das Sombras."

Para chegar à Zona Velha de Kahani era preciso atravessar toda a Zona da Meia-Luz, rumando para o sul, sempre contornando o litoral da Terra de Tchup. Por fim, aquele continente escuro e silencioso foi ficando para trás, e apareceu o Mar do Polo Sul, que se estendia em todas as direções. Haroun e Iff, o Gênio da Água, partiram uma hora depois que Haroun se apresentou como voluntário. Os companheiros que escolheram eram os dois Peixes Milbocas, Galpi e Bagha, que iam soltando espuma e bolhas, e o velho e retorcido Jardineiro Flutuante, Mali, com seus lábios de lilás e seu chapéu de raízes, que ia caminhando sobre a água ao lado deles. (Haroun teve vontade de levar Tagarela, mas foi tomado pela timidez, e, além disso, ela parecia mais disposta a ficar junto com Mudra, o Guerreiro da Sombra. Quanto a Rashid, sua presença era necessária para traduzir a Linguagem dos Gestos de Mudra para o General e o Príncipe.)

Depois de várias horas de percurso em alta velocidade pela Zona da Meia-Luz, acharam-se no Mar do Polo Sul. Aqui as águas tinham perdido ainda mais a cor, e a temperatura era ainda mais baixa.

"Aqui chegamos ao fundo!"

"Antes sujo, agora imundo!", disseram Galpi e Bagha, tossindo, engasgando e cuspindo.

Mali andava a passos largos sobre a superfície da água,

sem dar sinal de esforço. "Se a água está tão envenenada, não machuca seus pés?", perguntou Haroun. Mali fez que não: "Precisa muito mais que isso. Um veneninho, bah. Um acidozinho, bah. Jardineiro é calejado. Isso aqui não me assusta".

E nisso, para surpresa de Haroun, Mali desatou a cantar uma cançãozinha, com voz rouca:

> *A madeira a gente fura*
> *Faz na porta uma abertura*
> *Nem a pedra é assim tão dura*
> *Mas a mim ninguém segura!*

"Escute, Mali", lembrou Haroun, num tom de voz que ele esperava que fosse cheio de autoridade, próprio de um líder, "o que nós temos de segurar são os planos de Khattam-Shud, isso sim."

"Se é verdade que há uma Fonte de Histórias perto do Polo Sul", sugeriu Iff, "então é lá que deve estar Khattam-Shud, com certeza."

"Muito bem", concordou Haroun. "Então, ao Polo Sul!"

O primeiro desastre veio logo depois. Galpi e Bagha, soltando gemidos e lamentos de dar dó, confessaram que não aguentavam mais:

"Amigos, é preciso que eu vos deixe!"

"É verdade! O mar não está pra peixe!"

"É o fim, estamos péssimos!"

"Ai, nem dá mais pra fazer versos!"

A cada quilômetro as águas do Mar iam ficando mais densas e mais frias; muitos Fios de Histórias estavam cheios de uma substância escura, que escorria lentamente, parecendo um xarope. "Seja o que for que está provocando isso", pensou Haroun, "a causa não pode estar longe." E aos Peixes Milbocas disse com tristeza: "Fiquem aqui tomando conta, vamos continuar sem vocês". Haroun percebeu então: *"É claro que mesmo se houver algum perigo, eles não vão conseguir nos avisar*"; mas os Milbocas já estavam tão infelizes que achou melhor guardar esse pensamento só para si.

A luz agora era fraquíssima (já estavam na margem da Zona da Meia-Luz, bem perto do hemisfério da Escuridão Perpétua). Iam seguindo rumo ao Polo Sul; e quando Haroun viu uma floresta que se levantava do Oceano, com seus altos ramos balançando ao vento, a penumbra aumentou a sensação de mistério. "Será terra?", perguntou ele. "Não é possível que haja terra por aqui!"

"Águas abandonadas, isso sim", disse Mali, cheio de desgosto. "Mato alto. Toma conta de tudo. Estraga tudo. Ninguém cuida. Uma desgraça. Eu, com um ano de prazo, deixava esse lugar como novo." Era um discurso e tanto para o Jardineiro Flutuante. Via-se que estava muito abalado.

"Não temos um ano de prazo", disse Haroun. "E também não quero voar por cima da água. Seria muito fácil alguém nos ver, e além disso não poderíamos levar você conosco."

"Não se preocupe comigo", disse Mali. "E nem pense em sair voando. Deixe que eu abro caminho." E saiu correndo a toda velocidade, desaparecendo no meio daquela selva flutuante. Alguns momentos depois Haroun viu grandes galhos e folhagens sendo atirados à direita e à esquerda, ali onde Mali começava a trabalhar. As criaturas que viviam nessa floresta de ervas daninhas fugiram, alarmadas: enormes mariposas albinas, grandes pássaros cinzentos que eram só pele e ossos, longos vermes esbranquiçados com a cabeça em forma de pá. "Até os animais que vivem aqui são velhos", pensou Haroun. "Será que mais para dentro vamos encontrar uns dinossauros? Bem, não exatamente dinossauros, mas aqueles que viviam na água, os... como se chamam? Isso: ictiossauros." A ideia de ver a cabeça de um ictiossauro saindo da água era ao mesmo tempo assustadora e excitante. Haroun procurou tranquilizar-se: "Bem, de qualquer forma, eles são vegetarianos — quer dizer, *eram* vegetarianos. Ou, pelo menos, é o que eu acho".

Mali veio voltando, com grandes passadas sobre a água, para dar um relatório dos seus progressos: "Limpei o mato. Matei as pragas. Logo teremos um canal aberto". E lá se foi de volta.

Quando o canal ficou pronto, Haroun pediu ao Gavião MasMas que entrasse por ali. Mali tinha sumido, não se encontrava em nenhum lugar. "Mali, aonde você foi?", chamou Haroun. "Isso não é hora de brincar de esconde-esconde!" Mas nada de resposta.

Era um canal estreito, ainda cheio de mato e raízes boiando na superfície... e lá estavam eles, mergulhados no coração daquele matagal, quando aconteceu a segunda catástrofe. Haroun ouviu uma espécie de assobio e logo viu algo enorme sendo atirado na sua direção — algo que parecia uma rede colossal, tecida com a própria escuridão. A rede caiu sobre eles e os apertou com toda a força.

"É uma Teia da Noite", disse o Gavião MasMas, prestativo. "Uma lendária arma dos Tchupwala. É inútil lutar; quanto mais a gente se debate, mais firme ela prende. Lamento informar, mas estamos em palpos de aranha."

Haroun escutou ruídos vindos do lado de fora da Teia da Noite: assobios, risadinhas satisfeitas. E havia olhos também, olhos que fitavam pela rede, olhos como os de Mudra, com o fundo negro em vez de branco; só que estes olhos não eram nada amistosos. *E onde estava Mali?*

"Quer dizer que já fomos feitos prisioneiros!", pensou Haroun, espumando de raiva. "Que belo herói eu me saí!"

9. O NAVIO DAS TREVAS

LENTAMENTE IAM SENDO ARRASTADOS. Seus captores, cujas formas imprecisas Haroun começava a distinguir à medida que seus olhos se acostumavam com a escuridão, iam puxando a Teia por algum tipo de supercordas, invisíveis porém poderosas. Mas em direção a quê? Aqui a imaginação de Haroun falhava. Tudo o que conseguia visualizar era um imenso buraco negro, escancarado como uma enorme bocarra, aonde ele ia sendo lentamente sugado.

"Demos com os burros n'água, estamos perdidos, não tem remédio!", disse Iff, desconsolado. O Gavião MasMas também estava num estado de espírito sombrio, e sem mexer o bico começou a lamentar-se: "Lá vamos nós para Khattam-Shud, embrulhadinhos como um pacote para presente! E aí vai ser zás-trás, *kaput*, *finito* para todos nós. Lá está ele sentado no coração das trevas — no fundo de um buraco negro, como dizem —, lá está ele sentado, comendo luz. Pois ele come a luz crua! Com as próprias mãos, sem deixar escapar nem um pouquinho! E come as palavras também. E consegue estar em dois lugares ao mesmo tempo, e disso não há como escapar. Ai de nós! Que desgraça! Ai, ai, ai!".

"Puxa, que belos companheiros são vocês!", disse Haroun, com o máximo de bom humor que conseguiu arranjar. E para o Gavião MasMas acrescentou: "E que bela máquina você é! Engole direitinho todas as histórias de fantasmas que você escuta, até as que encontra na cabeça dos outros! Esse buraco negro, por exemplo: eu estava pensando nisso, e você captou e deixou essa ideia te assustar. Francamente, MasMas, levante esse ânimo! Força!".

"De que jeito?", respondeu MasMas. "São os Tchupwalas que estão me arrastando à força!"

"Olhem para baixo", interrompeu Iff. "Olhem para o Oceano!"

Por toda parte se via aquele veneno escuro e grosso que extinguia as cores dos Fios de Histórias, de modo que Haroun não conseguia mais diferenciar um do outro. Uma sensação fria e viscosa subia da água, que estava quase congelada — "fria como a morte", pensou Haroun. Iff não conseguiu mais conter a sua mágoa, e começou a chorar: "A culpa é nossa! Nós somos os Guardiões do Oceano, e deixamos de guardá-lo. Vejam só esse Mar! As histórias mais antigas que já foram inventadas — vejam em que estado elas estão! E fomos nós que as deixamos apodrecer, nós que as abandonamos, muito antes de começar esse envenenamento. Perdemos o contato com as nossas origens, nossas raízes, nossa Nascente, nossa Fonte! São histórias chatas, não interessam mais, é o que dizíamos; não há mais demanda, há excesso de oferta. E agora olhem, olhem só! Sem cor, sem vida, sem nada. Estragadas! Arruinadas!".

"Como esse lugar teria deixado Mali horrorizado", pensou Haroun; talvez Mali mais do que ninguém. Mas não havia nem traço do Jardineiro Flutuante. "Provavelmente está amarrado, como nós, em outra Teia da Noite", pensou Haroun. "Mas ah, o que eu não daria para ver agora aquele seu velho corpo de raízes retorcidas correndo ao nosso lado, e ouvir sua voz macia como uma flor dizendo palavras tão breves e tão ásperas!"

As águas envenenadas lambiam os flancos do Gavião MasMas — e de repente espirraram mais alto, quando a Teia da Noite parou abruptamente. Iff e Haroun, agindo por reflexo, encolheram os pés para evitar os borrifos, mas um chinelo do Gênio da Água, de pontinha revirada e belos bordados, caiu do seu pé (o esquerdo, para ser exato) dentro do

Mar — onde, num piscar de olhos, com um *fsss*, um *ssshhhh*, um *glug* e um *glob*, foi instantaneamente engolido, inteirinho, até a última voltinha da ponta. Haroun ficou estarrecido, e observou: "O veneno aqui é tão concentrado que age como um ácido fortíssimo. MasMas, você deve ser feito de um material ultrarresistente! Iff, você teve sorte — foi só o seu chinelo que caiu, e não você!".

"Não se alegre tanto", disse MasMas, emburrado, sem mexer o bico. "Quem sabe lá o que nos espera mais adiante?"

"Bem, muito obrigado", respondeu Haroun. "Mais um pensamento otimista que você nos dá!"

Mas Haroun estava preocupado com Mali. O Jardineiro Flutuante caminhava diretamente sobre a superfície desse veneno concentrado. O velho era duro, mas será que aguentava aquele veneno feito um ácido? Na sua imaginação, Haroun viu uma cena horrível: Mali afundando lentamente no Oceano, onde, com um *fsss*, um *ssshhhh*, um *glug* e um *glob*... Haroun abanou a cabeça. Não havia tempo para pensamentos negativos.

A Teia da Noite foi retirada, e quando voltou a fraca luz da penumbra, Haroun viu que tinham chegado a uma grande clareira naquela floresta de ervas daninhas. A pouca distância, havia algo que parecia um paredão feito com a própria noite. "Aí deve ser o início da Escuridão Perpétua", pensou Haroun. "Acho que agora estamos bem na beiradinha dela."

Aqui apenas algumas raízes e folhas de mato, muito queimadas e corroídas pelo ácido venenoso, flutuavam na superfície da água. Ainda não havia nem sinal de Mali, e Haroun continuava a temer o pior.

Um grupo de treze Tchupwalas rodeou o Gavião MasMas, apontando armas ameaçadoras para Iff e Haroun. Todos tinham aqueles estranhos olhos ao contrário, com as pupilas brancas em vez de negras, a íris de um cinza-pálido em vez de colorida, e "negros dos olhos" em vez de "brancos", como

Haroun já tinha visto no rosto de Mudra. Mas, ao contrário do Guerreiro da Sombra, esses Tchupwalas eram uns tipinhos antipáticos, choramingas, com cara de fuinha; usavam mantos negros com capuz, decorados com a insígnia da guarda pessoal do Mestre do Culto, Khattam-Shud — isto é, o símbolo do Zíper na Boca. "Esses caras parecem um bando de funcionários de escritório que resolveram se fantasiar", pensou Haroun. "Mas não devem ser subestimados; são perigosos, disso não há dúvida."

Os Tchupwalas se amontoaram em volta do Gavião Mas-Mas e ficaram olhando para Haroun com uma curiosidade irritante. Cada um vinha montado numa espécie de grande cavalo-marinho de cor escura, e os animais pareciam tão perplexos quanto seus cavaleiros com a presença do garoto da Terra. "Só para sua informação", revelou o Gavião MasMas, "esses cavalos-marinhos também são máquinas. Mas como é bem sabido, neles não se pode confiar: à noite todos os cavalos são pardos."

Mas Haroun não estava prestando atenção.

Acabava de perceber que o paredão negro, que ele pensava ser o início da Escuridão Perpétua, não era nada disso. Era, na verdade, um navio colossal, uma vasta embarcação parecida com uma arca, ancorada naquela clareira. "É para lá que eles vão nos levar", compreendeu, sentindo o coração pesado. "Deve ser o navio do Mestre do Culto, Khattam-Shud." Mas quando abriu a boca para dizer isso a Iff, descobriu que o medo lhe tinha secado a garganta, e tudo o que saiu da sua boca foi um estranho grunhido:

"*Aak*." Haroun apontava para o navio negro e grasnava: "*Aak, aak*".

Várias pranchas de embarque subiam ao lado do casco, até o convés do Navio das Trevas. Os Tchupwalas os levaram até o pé de uma delas, e aqui Haroun e Iff tiveram de deixar para trás o Gavião MasMas e começar uma longa escalada. Enquanto subia, Haroun ouviu um grito plangente; ao virar-se viu o Gavião protestando, sem mexer o bico: "Mas mas mas *isso* vocês não podem me tirar! Não, não! É o meu *cérebro*!". Dois Tchupwalas com seus mantos negros, montados nas costas de MasMas, estavam desparafusando o topo da cabeça do Gavião-Avião. De dentro da cavidade retiraram então uma pequena caixa de metal, que reluzia com brilho fosco; e enquanto faziam isso assobiavam de satisfação. E então simplesmente deixaram o Gavião MasMas ali boiando, com os circuitos desligados, sem as células de memória nem o módulo de comando. O Gavião-Avião ficou parecendo um brinquedo quebrado. "Ah, MasMas!", pensou Haroun, "sinto muito se já caçoei por você ser apenas uma máquina! Você é a melhor das máquinas, a mais corajosa que já existiu, e eu vou conseguir trazer o seu cérebro de volta, você vai ver!" Mas sabia que essa era uma promessa vazia, pois afinal ele tinha seus próprios problemas para resolver.

Continuavam subindo pela prancha. Nisso Iff, que estava atrás de Haroun, deu um tropeção, parecendo prestes a cair, e agarrou a mão de Haroun como se quisesse se equilibrar. Haroun sentiu então que o Gênio da Água lhe passou alguma coisa pequenina e dura, e fechou bem a mão para não perdê-la.

"Uma coisinha para uma emergência", cochichou Iff, "cortesia do Departamento dos PCD+P/EX. Quem sabe você ainda vai ter chance de usar."

Os Tchupwalas caminhavam à frente deles e também atrás. "O que é?", Haroun sussurrou bem baixinho.

"Morda uma pontinha", cochichou Iff, "e isso vai lhe dar dois minutos inteiros de luz intensa. Chama-se Mordeluz, por motivos óbvios. Esconda debaixo da língua."

"E você?", perguntou Haroun num cochicho. "Você também tem um desses?" Mas Iff não respondeu, e Haroun entendeu que o Gênio da Água tinha lhe dado seu único pedacinho de Mordeluz. "Não posso aceitar, não é justo!", sussurrou, mas um dos Tchupwalas lhe lançou um assobio tão aterrorizante que ele achou melhor ficar um pouco quieto. E continuaram subindo pela prancha, subindo mais e mais, sempre tentando adivinhar o que o Mestre do Culto tinha em mente.

Passaram então por uma fileira de portinholas, e Haroun quase deu um grito de susto, pois dessas janelinhas o que se derramava era *escuridão* — uma escuridão que reluzia na penumbra, assim como a luz brilha à noite saindo de uma janela. Os Tchupwalas tinham inventado a escuridão artificial, do mesmo modo que outras pessoas tinham inventado a luz artificial! Haroun imaginou que dentro do Navio das Trevas havia lâmpadas — só que deveriam ser chamadas de "negrâmpadas" — que produziam essa estranha escuridão, para que os olhos invertidos dos Tchupwalas (que ficariam cegos na luz) conseguissem enxergar direito (apesar de que ele, Haroun, ficaria então incapaz de enxergar qualquer coisa). Haroun ficou extasiado: "Uma escuridão que se pode ligar e desligar! Puxa vida, que ideia!".

Finalmente chegaram ao convés.

Foi então que Haroun percebeu como era enorme o navio. Naquela luz mortiça parecia que o convés era literalmente infinito; Haroun não conseguia avistar nem a popa, nem a proa. "Deve ter mais de um quilômetro de comprimento!" exclamou; e, sendo assim, devia ter meio quilômetro de largura.

"Imenso, titânico, supercolossal", concordou Iff, desanimado.

Sobre o convés, formando uma espécie de xadrez, viram uma grande quantidade de gigantescos caldeirões negros, cada um rodeado pela sua equipe de manutenção. Havia tubos e canos entrando e saindo desses tanques, e escadinhas que subiam pelas paredes laterais. Ao lado de cada caldeirão ficavam uns pequenos guindastes, com baldes pendurados em ganchos pontudos de aparência medonha. "Esses devem ser os tanques de veneno", pensou Haroun; e tinha razão. Os caldeirões estavam cheios até a borda daqueles venenos negros que estavam assassinando o Mar de Histórias — venenos na sua forma mais potente, mais pura e não diluída. "É um navio-fábrica", pensou Haroun com um arrepio, "e isso que ele fabrica é muito, muito pior do que as fábricas de tristeza lá da minha terra."

Mas o maior objeto a bordo do Navio das Trevas era outro guindaste, que se elevava sobre o convés, alto como um edifício, com um poderoso braço de onde pendiam imensas correntes que desciam até o Mar. O que quer que houvesse ali, dependurado dessas correntes, bem abaixo da superfície da água, devia ser de fato algo descomunal, de um peso assustador; mas Haroun não fazia ideia do que poderia ser.

A primeira coisa que impressionou Haroun no Navio das Trevas e em tudo que lá havia era algo que ele só conseguia definir como uma impressão de que tudo era feito de sombras. Apesar da envergadura mastodôntica do próprio navio, do apavorante tamanho e quantidade dos tanques de veneno e do gigantesco guindaste, Haroun continuava com a impressão de que a coisa toda era, de certa forma, *impermanente*, de que havia algo não muito fixo ou certo naquilo tudo, como se algum grande feiticeiro tivesse conseguido construir a coisa toda de sombras — dando às sombras uma solidez que Haroun não imaginava que elas pudessem ter. "Mas essa ideia é muito estrambótica", pensou consigo. "Um navio feito de sombras? Um navio-sombra? Ora, não seja maluco!" Mas a ideia não lhe saía da mente. "*Repare nos contornos de todas as coisas aqui*", disse uma voz na sua cabeça. "*Veja os contornos dos tanques de veneno, do guindaste, do próprio navio. Não acha que as bordas parecem meio... vagas, indistintas? É assim que são as sombras; mesmo quando são bem nítidas, o contorno delas não é tão bem definido como o das coisas reais, substanciais."*

Quanto aos Tchupwalas, todos pertencentes à União do Zíper na Boca, os mais devotados servos do Mestre do Culto — bem, Haroun não parava de se espantar ao ver como eram uns tipinhos banais, e como era monótono o seu trabalho. Havia centenas deles, com seus mantos de capuz e o símbolo do Zíper na Boca, cuidando dos tanques e guindastes no convés, desempenhando uma série de tarefas mecânicas e rotineiras: checando os mostradores, apertando as juntas, ligando e desligando os mecanismos que mexiam o veneno nos tanques, esfregando o convés. Tudo isso era de uma chatice sem igual; e mesmo assim — como Haroun precisava se lembrar a todo instante — o que eles estavam realmente fazendo, esses sujeitinhos que corriam de lá pra cá, medíocres, antipáticos, desprezíveis e choramingas, com suas caras de fuinha, embrulhados em seus mantos e capuzes, era nada mais nada menos que destruir o próprio Mar dos Fios de Histórias! "Que estranho", disse Haroun para Iff, "que as coisas mais terríveis pareçam tão *chatas* e tão *normais!*"

"Normais!", suspirou Iff. "Ele acha que tudo aqui é *normal*. O garoto está doido, pirado, lelé da cuca!"

Seus captores os empurraram então para uma grande passagem onde havia um par de altas portas negras com o símbolo de Khattam-Shud, o Zíper na Boca. Tudo isso foi feito em completo silêncio, exceto por aquele estranho som, uma espécie de assobio que os Tchupwalas usavam em vez de falar; e quando estavam a alguns passos das portas duplas, foram detidos pelos braços. As portas se abriram. "Pronto, é agora", pensou Haroun.

Pela porta veio vindo um sujeito que parecia um funcionariozinho insignificante, antipático, desprezível, choramingas e cara de fuinha, exatamente como todos os outros.

Mas também diferente, pois assim que apareceu, todos os Tchupwalas começaram a lhe fazer reverências, e a limpar e esfregar com todo o vigor; pois essa criatura insignificante era nada mais, nada menos que o notório e aterrorizante Mestre do Culto de Bezaban, Khattam-Shud, o bicho-papão em pessoa!

"É esse que é *ele*? *Esse aí*?", pensou Haroun, um tanto desapontado. "Esse sujeitinho magricela? Mas que decepção!"

E aí veio outra surpresa: o Mestre do Culto começou a falar. Khattam-Shud não sibilava como seus subalternos, nem emitia grunhidos como Mudra, o Guerreiro da Sombra; falava claramente, numa voz monótona e sem inflexão, uma voz de que ninguém se lembraria se não pertencesse a um Personagem tão poderoso e aterrorizante. "Espiões", disse Khattam-Shud na sua voz insossa. "Que melodrama cansativo. Um Gênio da Água da Cidade de Gup, e algo um pouco mais fora do comum: um jovem vindo, se não me engano, *lá de baixo*."

"Quer dizer que é assim, essa sua história absurda de voto de Silêncio?", falou Iff, com uma dose considerável de coragem. "Não é típico dele, bem do seu feitio? Já dava até pra adivinhar: o Grande Bambambã, o tal do bicho-papão, faz exatamente aquilo que proíbe todo mundo de fazer! Seus seguidores têm de costurar os lábios, mas ele, que é bom, fala feito uma matraca!"

Khattam-Shud fingiu ignorar essa observação. Haroun olhou bem firme para ele, especialmente para o contorno do corpo, e por fim teve certeza: ali estava ela, aquela impressão de uma coisa *indefinida*, que já tinha percebido no próprio Navio das Trevas: algo impreciso como uma sombra. "Não há dúvida", concluiu. "Esta aqui é a Sombra do Mestre do Culto, que ele aprendeu a separar do seu corpo. Ele mandou a Sombra para cá, e ele mesmo, em pessoa, continua lá na Cidadela de Tchup." Lá para onde o exército Gupi, juntamente com Rashid, pai de Haroun, devia estar se dirigindo naquele mesmo momento.

Se é que Haroun estava certo, e esta era mesmo a sombra que virou gente, e não o homem que virou sombra, então a feitiçaria de Khattam-Shud era mesmo poderosa; pois a figura do Mestre do Culto era inteiramente tridimensional, e seus olhos se mexiam visivelmente nas órbitas. "Nunca vi na minha vida uma sombra assim", Haroun teve de reconhecer; mas continuava cada vez mais convencido de que aquele realmente era o Eu de Sombra do Mestre do Culto, que viera para a Zona Velha neste Navio das Trevas.

O soldado Tchupwala que tinha retirado a caixa-cérebro do Gavião MasMas deu um passo adiante e entregou-a a Khattam-Shud com uma reverência. O Mestre do Culto começou então a brincar com a caixinha de metal, jogando-a para cima e murmurando: "Agora vamos ver esses tais desses Processos Complicados Demais Para Explicar. Depois que isso aqui for desmontado, vou conseguir explicar direitinho esses processos, esperem só".

Bem nesse momento, Haroun teve uma ideia que fez sua cabeça girar: *Khattam-Shud lembrava muito uma certa pessoa.* "Eu conheço esse cara", pensou, espantadíssimo. "Já o vi em algum lugar. Sei que isso é impossível, mas é um fato: esse sujeito me é muito, muito familiar!"

O Mestre do Culto se aproximou e olhou bem na cara de Haroun. "O que o trouxe até aqui, hein?", perguntou na sua voz chata, chatérrima. "Imagino que foram as *histórias*." Falou "histórias" como se fosse a palavra mais grosseira e desprezível da língua. "Muito bem, veja só aonde você foi parar por causa das *histórias*. Está percebendo? Tudo que começa com *histórias* termina com espionagem, e esta é uma acusação muito séria, ouviu, garoto? A mais séria de todas. Seria melhor se você ficasse com os pés no chão, mas você vivia no mundo da lua. Seria melhor se você se limitasse aos Fatos, mas você encheu sua cabeça de *histórias*. Seria melhor você ter ficado em casa, mas lá veio você até aqui. São as *histórias* que causam os problemas. Um Mar de Histórias é um Mar de Problemas. Me responda, por favor: para que servem essas *histórias* que nem sequer são verdade?"

"Eu conheço você!", gritou Haroun. "Você é ele! Você é o Senhor Sengupta, e você roubou minha mãe e abandonou aquela mulher gorda, e você não passa de um *funcionariozinho* muito do insignificante, medíocre, antipático e cara de fuinha! Onde você está escondendo ela? Quem sabe ela está prisioneira neste navio! Vamos, passe ela pra cá!"

Iff, o Gênio da Água, segurou-o delicadamente pelos ombros, pois Haroun tremia de raiva e outras emoções. Iff esperou até ele se acalmar e disse com gentileza: "Haroun, esse não é o mesmo homem! Talvez ele pareça o mesmo, igualzinho, cara de um, focinho do outro; mas acredite, meu garoto, este aqui é Khattam-Shud, o Mestre do Culto de Bezaban".

Khattam-Shud, com aquele seu jeitinho de funcionário chinfrim, não parecia nada perturbado; distraído, continuava a brincar com a caixa-cérebro do Gavião MasMas, jogando-a com uma mão só. Finalmente falou, naquela sua voz monótona e soporífera. "Foram as *histórias* que estragaram o cérebro do garoto", declarou solenemente. "Agora ele só vive devaneando e falando besteiras. Menino desaforado, abusado! Por que eu haveria de ter qualquer interesse pela sua mãe? São as *histórias* que deixaram você incapaz de en rga o que está bem na sua frente. São as *histórias* que f e você acreditar que um Personagem como Khattam-S r Mestre do Culto, deveria ser... *assim*."

Haroun e Iff deram um grito de espanto quand tam-Shud mudou de forma. O Mestre do Culto foi do, crescendo diante dos seus olhos estupefatos, até f cento e um metros de altura e cento e uma cabeças, cada uma com três olhos e uma língua de fogo, e cento e um braços, dos quais cem brandiam enormes espadas negras, enquanto o centésimo primeiro atirava para o alto, displicentemente, a caixa-cérebro do Gavião MasMas... e aí, dando um pequeno suspiro, Khattam-Shud se encolheu de novo e voltou à sua forma antiga, de funcionariozinho de escritório. "Me exibindo um pouco", falou, dando de ombros. "As *histórias* é que gostam desse tipo de coisa, mas essas exibições são desnecessárias e também ineficientes. Ah, espiões, espiões...", disse, pensativo. "Bem, vocês precisam ver aquilo que vieram ver. Se bem que, naturalmente, nunca vão conseguir apresentar seu relatório."

Virou-se e foi entrando pelas portas negras. "Tragam esses dois para cá", ordenou, e desapareceu lá dentro. Os soldados Tchupwalas agarraram Haroun e Iff e os arrastaram à força pela passagem. Os dois se encontraram então no topo de uma escadaria escura que desaparecia lá embaixo, no negrume de breu das entranhas do navio.

10. O DESEJO DE HAROUN

ENQUANTO HAROUN E IFF estavam ali postados no topo da escada, a escuridão absoluta criada por milhares de "negrâmpadas" de repente desapareceu e foi substituída por uma leve penumbra. Khattam-Shud tinha ordenado que todas as "negrâmpadas" fossem desligadas, só para zombar dos seus prisioneiros, mostrando-lhes como era grande o seu poder. Com isso, Haroun e Iff já conseguiam enxergar o caminho, e começaram a descer até o ventre daquele imenso navio. Ao redor, todos os Tchupwalas colocavam seus óculos escuros, até que bem chiques, desses curvos, que dão toda a volta no rosto, para enxergar melhor naquela fraca luminosidade. Ao vê-los, Haroun pensou: "Agora eles parecem uns funcionários de escritório fingindo que são cantores de rock".

Viu agora que, debaixo do convés, o Navio das Trevas era uma única e imensa caverna. Ao longo das paredes havia passarelas em sete níveis diferentes, ligadas por degraus e escadinhas; e o espaço inteiro era cheio de máquinas. E que máquinas eram aquelas! "Complicadíssimas Demais para Descrever", murmurou Iff. Como zumbiam os motores e zuniam os misturadores, quantas filas de batedeiras e gigantescas peneiras, como rangiam os espremedores e gelavam os congeladores! Khattam-Shud esperava por eles numa passarela elevada, atirando negligentemente de uma mão para outra o cérebro do Gavião MasMas. E assim que Haroun e Iff (e seus guardas, naturalmente) chegaram até ele, começou a explicar tudo secamente.

Haroun forçou-se a prestar atenção, embora a voz do

Mestre do Culto fosse tão monótona que dava para a gente adormecer em dez segundos. "Esses aqui são os Misturadores de Veneno. Temos de fabricar uma grande quantidade de venenos, pois cada uma das histórias do Oceano precisa ser estragada de uma maneira diferente. Para estragar uma história alegre é preciso transformá-la numa história triste. Para estragar um drama de ação é preciso fazê-lo andar bem devagar. Para estragar uma história de mistério é preciso fazer a identidade do criminoso ficar óbvia até para o ouvinte mais idiota. Para estragar uma história de amor é preciso transformá-la numa história de ódio. Para estragar uma tragédia é preciso fazê-la capaz de provocar um riso incontrolável."

"E para estragar um Mar de Histórias", murmurou Iff, "é preciso acrescentar um Khattam-Shud."

"Diga o que quiser", disse o Mestre do Culto. "Fale enquanto ainda tem chance."

E continuou com suas explicações apavorantes: "O fato é que eu, pessoalmente, descobri que *para cada história* há uma anti-história. Quer dizer que cada história — e portanto cada Fio de História — tem seu *eu de sombra*, e quando se despeja esta anti-história dentro da história, uma anula a outra e... bingo! Fim da história. Pois bem: aqui vocês veem a prova de que encontrei uma maneira de sintetizar essas anti-histórias, essas narrativas de sombra. Sim! Consigo misturá-las aqui mesmo, em condições de laboratório, e produzir um veneno concentrado, extremamente eficiente, ao qual nenhuma história desse seu precioso Oceano consegue resistir. Esses venenos concentrados são o que nós estamos lançando no Mar, um a um. Vocês já viram como o veneno aqui é denso — mais espesso que um xarope, pois todas as histórias-sombra estão aqui juntas, em alto grau de concentração. Aos poucos elas vão se dispersando pelas correntes do Oceano, e cada anti-história vai procurar a sua vítima. Todos os dias nós sintetizamos e lançamos novos venenos! Todos os dias nós assassinamos mais histórias! Breve, muito breve, o Oceano estará morto, frio e morto. E quando ele congelar inteiro, e na superfície se formar uma camada de gelo negro, minha vitória será completa".

"Mas por que você odeia tanto as histórias?", interrompeu Haroun, perplexo. "As histórias são divertidas..."

"O mundo, porém, não é feito para ninguém se Divertir", respondeu Khattam-Shud. "O mundo é para se Controlar."

"Qual mundo?", Haroun se obrigou a perguntar.

"O seu mundo, o meu mundo, todos os mundos", foi a resposta. "Todos eles existem para serem Dominados. E dentro de cada história, dentro de cada Fio do Mar de Histórias, existe um mundo, um mundo de histórias, que eu não consigo dominar. Esta é a razão."

O Mestre do Culto indicou então as máquinas refrigeradoras que conservavam em baixa temperatura os venenos, as anti-histórias. E mostrou as máquinas de filtrar que retiravam todas as sujeiras e impurezas dos venenos, para que ficassem cem por cento puros, cem por cento mortais. E explicou por que, como parte do processo de manufatura, o veneno tinha de passar algum tempo nos caldeirões lá em cima no convés: "Como os bons vinhos, as anti-histórias melhoram de qualidade quando ficam 'respirando' por algum tempo ao ar livre antes de serem usadas." Depois de onze minutos de explicações, Haroun parou de escutar. Foi seguindo Khattam-Shud e Iff ao longo da passarela elevada até que chegaram a outra parte do navio, onde os Tchupwalas estavam montando algo misterioso, juntando grandes peças feitas de um material que parecia uma borracha dura e negra.

"Bem, isto aqui", disse o Mestre do Culto (e algo na sua voz fez com que Haroun prestasse atenção), "é o lugar onde estamos construindo a Rolha."

"Que Rolha?", perguntou Iff assustado, com uma ideia estarrecedora se formando na mente. "Não é possível que..."

"Vocês com certeza viram o guindaste gigante lá no convés", disse Khattam-Shud na sua voz mais tediosa. "E devem ter notado as correntes que descem até a água. Na ponta dessas correntes, os velozes mergulhadores Tchupwalas estão montando a nossa Rolha — a maior e mais eficiente que já foi construída até hoje. E já está quase completa, seus espiõezinhos, quase completa; dentro de poucos dias, vamos colocá-la em funcionamento. Vamos arrolhar a própria Fonte de Histórias, que fica exatamente debaixo deste navio, no leito do mar. Enquanto essa Fonte continuar aberta, vai sempre continuar lançando novas Águas de Histórias, frescas, não envenenadas, que jorram pelo Oceano, e nosso trabalho ficará sempre incompleto. Ah, mas quando a Rolha for Arrolhada! Ah, aí sim, o Oceano perderá todo o seu poder de resistir às minhas anti-histórias, e o fim estará bem próximo. E então, Gênio da Água, o que restará a vocês, Gupis, senão aceitar a vitória de Bezaban?"

"Nunca!", disse Iff, mas sua voz não era muito convincente.

"Como fazem os mergulhadores para entrar nas águas envenenadas sem se queimarem?", perguntou Haroun. Khattam-Shud deu um sorrisinho seco: "Ah, prestando atenção de novo, hein? A resposta é óbvia: eles usam roupas protetoras. Aqui neste armário ficam guardados os trajes de mergulho à prova de veneno".

Saindo então da zona de construção da Rolha, levou os dois até outra área ocupada pela maior máquina do navio.

"E este aqui", disse Khattam-Shud, quase permitindo que um tom de orgulho entrasse na sua voz insípida e monótona, "é o nosso Gerador."

"Ele faz o quê?", perguntou Haroun, que nunca tinha se interessado muito por coisas científicas.

"É um aparelho que converte a energia mecânica em

energia elétrica por meio da indução eletromagnética", respondeu Khattam-Shud, "se é que isso te interessa."

Haroun não se deu por vencido e insistiu: "Você quer dizer que é daqui que vem o seu suprimento de energia?".

"Exatamente", respondeu o Mestre do Culto. "Estou vendo que lá na Terra a educação até que não parou no tempo."

Neste ponto aconteceu uma coisa totalmente inesperada.

Através de uma portinhola aberta, a alguns passos do Mestre do Culto, começaram a penetrar no Navio das Trevas estranhas plantas, tentáculos e raízes. Uma grande massa informe de vegetação veio entrando em alta velocidade e, no meio dela, uma única flor lilás. O coração de Haroun deu um pulo de alegria: "M...", já ia dizendo, mas dobrou a língua.

Mali tinha escapado da captura (como Haroun ficou sabendo depois) assumindo outra vez o aspecto de um amontoado de raízes sem vida. Daí foi flutuando devagar até o Navio das Trevas; chegando lá, usou as saliências que havia nos tendões do seu corpo para escalar a parede externa do navio, se enroscando como uma trepadeira. Quando completou sua dramática entrada e num átimo se enrodilhou todo para tomar a sua conhecida forma de Mali, soaram os alarmes: "Intruso! Alerta! Invasão de Intruso!".

"Liguem a escuridão!", gritou Khattam-Shud, e seu modo de falar insípido caiu como uma máscara. Mali então saiu correndo em direção ao Gerador. Antes que se ligassem as "negrâmpadas", conseguiu chegar até a gigantesca máquina, escapando de numerosos guardas Tchupwalas — que não estavam enxergando lá essas coisas, por causa da vaga luz que havia (e apesar de estarem usando seus óculos escuros, até que bem estilosos, desses que dão a volta no rosto). Sem parar nem um segundo, o Jardineiro Flutuante deu um salto, desfazendo assim todo o seu corpo, e lançou suas raízes e tentáculos em cima do Gerador, penetrando na máquina inteira, em cada cantinho e em cada brecha.

Começaram então uma série de estouros e rangidos, conforme os circuitos explodiam e as engrenagens quebravam, e o poderoso Gerador parou de funcionar, com um tremendo sacolejo. Todo o suprimento de energia do navio foi cortado de uma só vez: os misturadores pararam de misturar e as batedeiras de bater; os espremedores pararam de espremer e os congeladores de congelar; os guarda-venenos pararam de guardar e os despejadores de despejar. A operação inteira ficou paralisada! "Hurra, Mali!", gritou Haroun. "Que belo serviço, sim, senhor, muito bem!"

Os guardas Tchupwalas começaram então a atacar Mali em grandes bandos, tentando arrancá-lo com as mãos ou cortá-lo com seus machados e espadas; mas uma criatura resistente a ponto de aguentar os venenos concentrados que Khattam-Shud despejava no Mar de Histórias não ia se incomodar com essas mordidinhas de pulga. Continuou bem agarrado ao Gerador, até ter certeza de que ele estava completamente estragado e não poderia ser consertado tão cedo; e enroscado na máquina, começou a cantar, naquele seu jeito áspero de Jardineiro, através da flor lilás que lhe servia de boca:

> *Vocês podem achar loucura*
> *Mas essa é a verdade pura*
> *Não me queima a queimadura*
> *Sei que é água na fervura*
> *Mas a mim ninguém segura!*
>
> *Faço uma bela figura*
> *Não temo essa criatura*
> *Entro na sua armadura*
> *Desmancho a sua mistura*
> *Pois a mim ninguém segura!*

"Bom", pensou Haroun, vendo que Khattam-Shud tinha sua atenção inteiramente fixa no Jardineiro Flutuante, "vamos lá, Haroun, é sua vez; é agora ou nunca."

Aquela "coisinha de emergência", o Mordeluz, ainda estava escondida debaixo da língua. Rápido, ele a colocou entre os dentes e deu uma mordida.

A luz que jorrou da sua boca era brilhante como o sol! Todos os Tchupwalas à sua volta ficaram cegos e quebraram seu voto de silêncio para gritar, esbravejar e xingar, apertando os olhos com toda a força. Até Khattam-Shud recuou para se afastar daquela luz intensa.

Haroun agiu depressa, como nunca em sua vida. Tirou o Mordeluz da boca e o segurou bem alto, com o braço estendido; assim a luz jorrou em todas as direções, iluminando inteiramente o vasto interior daquele enorme navio. "Até que aqueles Cabeças de Ovo lá do Departamento dos PCD+P/EX sabem de umas tantas coisas", pensou Haroun, maravilhado. Mas começou a correr, pois os segundos já voavam. Quando passou por Khattam-Shud, esticou o braço livre e arrancou da mão do Mestre do Culto a caixa-cérebro do Gavião-Avião. Continuou a correr até chegar ao armário que continha as roupas protetoras dos mergulhadores Tchupwalas. Já se tinha passado um minuto.

Haroun enfiou o cérebro do Gavião MasMas no bolso da camisola e começou a tentar vestir o traje de mergulho; tinha colocado o Mordeluz numa prateleira ao seu lado, para poder usar as duas mãos. "Mas como é que esse negócio funciona?", gemeu ele, frustrado, vendo que não conseguia enfiar o traje de mergulho. (Também não ajudava nada tentar colocá-lo por cima de uma longa camisola vermelha com desenhos roxos.) E os segundos iam passando.

Apesar de estar naquela agitação frenética, tentando enfiar às pressas a roupa de mergulho, Haroun conseguiu notar diversas coisas: reparou, por exemplo, que Khattam-Shud

137

em pessoa tinha agarrado Iff, o Gênio da Água, segurando-o pelas suíças azuis. E notou também que *nenhum dos Tchupwalas tinha sombra*! Isso só podia significar uma coisa: que Khattam-Shud havia mostrado aos seus devotos mais leais, os da União do Zíper na Boca, como se separar das suas sombras do mesmo modo que ele. Compreendeu então: "Quer dizer que eles todos aqui são sombras! O navio, esse bando todo do Zíper na Boca, e o próprio Khattam-Shud! Tudo e todos aqui são Sombras que viraram Sólidas — todos, exceto eu, Iff, Mali e o Gavião MasMas".

A terceira coisa que Haroun notou foi a seguinte: à medida que o brilho intenso do Mordeluz foi preenchendo todo o interior do Navio das Trevas, a embarcação inteira tremeu por um instante e tornou-se um pouquinho menos sólida, um pouquinho mais difusa; e os Tchupwalas também começaram a tremer; seus contornos foram se dissolvendo e começando a perder sua forma tridimensional... "Puxa, se o sol aparecesse", Haroun compreendeu, "eles todos iam se derreter, iam ficar planos e sem forma, como sombras — que é o que eles realmente são!"

Mas não se via a luz do sol em parte alguma naquela escura penumbra; e os segundos iam se esgotando; e justamente quando os dois minutos de luz chegaram ao fim, Haroun conseguiu fechar o zíper do traje, colocou os óculos de mergulho e se jogou de cabeça por uma portinhola, mergulhando lá embaixo, dentro do Mar envenenado.

Quando bateu na água, foi tomado por um sentimento terrível de desesperança. "E agora, Haroun, o que você vai fazer?", perguntou a si mesmo. "Vai a nado até a Cidade de Gup?"

Foi mergulhando pelas águas do Oceano por muito, muito tempo, e quanto mais fundo caía, via que os Fios de Histórias estavam menos sujos, e era mais fácil enxergar.

Viu então as equipes de mergulhadores Tchupwalas trabalhando, aparafusando peças na grande Rolha. Felizmente, estavam tão ocupados que nem notaram a presença de Haroun... A Rolha era do tamanho de um estádio de futebol, de forma mais ou menos oval. Suas bordas, porém, eram dentadas e irregulares, pois estava sendo feita sob medida para se encaixar na Fonte, ou Nascente de Histórias, e assim as duas formas, a da Rolha e a da Fonte, tinham de se ajustar perfeitamente.

Haroun continuou a cair... e então, maravilha das maravilhas, avistou a Nascente.

A Fonte de Histórias era um grande buraco, uma cratera no fundo do mar, e por essa abertura Haroun viu subir um fluxo luminoso de histórias puras, não poluídas, borbulhantes, vindas do próprio coração de Kahani. Havia tantos Fios de Histórias, de tantas cores diferentes, todos fluindo ao mesmo tempo, que a Nascente parecia uma imensa fonte submarina jorrando uma intensa luz branca. Nesse momento Haroun compreendeu que se conseguisse evitar que a Fonte fosse tampada, tudo acabaria dando certo e voltando novamente aos eixos. Os novos Fios de Histórias iriam limpar as águas poluídas, e o plano de Khattam-Shud acabaria fracassando.

Chegou então ao ponto mais profundo do seu mergulho, e quando começou a subir novamente à tona pensou com todo o seu coração: "Ah, como eu queria, como eu gostaria de poder fazer alguma coisa!".

Nesse instante, aparentemente por sorte, sua mão roçou na coxa do traje de mergulho e Haroun sentiu uma saliência no bolso da camisola. "Que estranho", pensou, "tinha certeza de ter guardado a caixa-cérebro de MasMas no outro bolso!" Daí se lembrou do que havia naquele bolso — algo que estava ali completamente esquecido, desde a sua chegada em Kahani; e num relance percebeu que havia, afinal de contas, uma coisa que ele podia fazer.

Voltou à superfície sugando ar com um *uuuush*, e tirando os óculos de mergulho tomou várias golfadas de ar (cuidando para não deixar que as águas envenenadas do Oceano lhe batessem no rosto). Por um golpe de sorte — "e já está bem na hora de eu ter um pouco de sorte", pensou Haroun —, chegou à tona bem ao lado de uma passarela para onde os Tchupwalas tinham rebocado MasMas, já desativado e incapacitado; e viu também a equipe de busca que Khattam-Shud tinha mandado para recapturá-lo: os soldados atravessavam a clareira rumo ao matagal, levando tochas equipadas com "negrâmpadas" para ajudá-los a enxergar. Longos raios do negrume mais absoluto vasculhavam a floresta de ponta a ponta. "Ainda bem", pensou Haroun, "espero que eles continuem a procurar naquela direção por muito tempo." Conseguiu sair da água e subir na passarela, abriu o zíper da sua roupa de mergulho e tirou fora a caixa-cérebro de MasMas. "Não sou engenheiro, MasMas", disse baixinho, "mas vamos ver se consigo atarraxar isso aqui de novo."

Felizmente, os Tchupwalas tinham se esquecido de aparafusar de volta a tampa da cabeça do Gavião. Haroun trepou nas costas de MasMas da maneira mais disfarçada possível, levantou a tampa e olhou lá dentro.

Havia três fios soltos dentro da cavidade vazia do cérebro. Haroun logo encontrou os três pontos na caixa-cérebro onde eles deviam se conectar. Mas em qual ponto iria cada fio? "Bom", pensou ele, "não dá pra saber", e ligou os três fios ao acaso.

O Gavião MasMas soltou uma assustadora sequência de risinhos, grunhidos e outros barulhos estranhos, e desandou a cantar uma musiquinha doida:

Canta, canta, tralalá!
O nome dele é trilili!

"Liguei errado os fios e fiz ele ficar louco!", pensou Haroun em pânico. E disse alto: "Gavião, fique quietinho, *por favor!*".

"Quietinho, quietinho! Olha só um ratinho! Dá pra ele um queijinho, que ele fica bonzinho!", MasMas cantarolou esses absurdos e arrematou: "*Não tem problema!*".

Rápido, Haroun desligou os três fios e os ligou outra vez, mudando as posições. Dessa vez o Gavião MasMas começou a dar pinotes e coices como um cavalo selvagem, e Haroun arrancou os fios rápido para não ser jogado no mar. "Da terceira vez espero dar sorte", pensou e, respirando fundo, voltou a ligar os fios.

"Então, por que demorou tanto?", perguntou MasMas na sua voz bem conhecida. "Agora está tudo ajeitado. Vamos embora. Va-vuuum!"

"Calma, Gavião, um momento!", sussurrou Haroun. "Fique quietinho aqui e finja que ainda está sem cérebro. Tenho uma outra coisa a fazer."

E agora, por fim, enfiou a mão no outro bolso da camisola e tirou de lá uma garrafinha de cristal multifacetado, fechada por uma tampinha dourada. A garrafa ainda estava pela metade com o líquido dourado mágico que Iff, o Gênio da Água, tinha lhe oferecido naquela ocasião que parecia anos atrás: a *Água do Desejo*. "Quanto mais intensamente você desejar, melhor ela funciona", Iff tinha lhe dito. "Leve isso a sério, e a Água do Desejo fará um negócio sério com você."

"Isto pode levar mais de onze minutos", Haroun cochichou para o Gavião MasMas, "mas eu vou conseguir. Olhe, MasMas, fique olhando!" E dizendo isso, abriu a tampinha dourada e bebeu a Água do Desejo até a última gota.

Tudo que viu então foi uma luz dourada que o envolveu

inteiro como um manto... "Eu desejo", pensou Haroun Khalifa, fechando os olhos bem apertados, e desejando com todas as fibras do seu ser, "desejo que esta Lua, Kahani, comece agora a girar, de modo que não fique mais com a metade na luz e a outra metade nas trevas... Desejo que ela comece a girar neste mesmo instante, para que o sol brilhe sobre o Navio das Trevas, o sol a pino, o sol mais quente, o sol do meio-dia."

"É um desejo e tanto!", disse a voz do Gavião MasMas, admirado. "Isso vai ser bem interessante. É a sua força de vontade contra os Processos Complicados Demais Para Explicar."

Os minutos passavam: um, dois, três, quatro, cinco. Haroun continuava deitado nas costas do Gavião MasMas, esquecido do tempo, esquecido de tudo, exceto do seu desejo. Lá na floresta de ervas daninhas, os batedores Tchupwalas concluíram que estavam procurando no lugar errado, e vieram voltando para o Navio das Trevas. Suas tochas com "negrâmpadas" sondavam a penumbra, lançando raios do mais puro negror. Por sorte, nenhum desses raios caiu sobre o Gavião-Avião. Mais minutos se passaram: seis, sete, oito, nove, dez.

Onze minutos se passaram.

Haroun continuava deitado de costas, com os olhos bem fechados, concentrando-se.

Um raio negro da tocha de um Tchupwala veio bater bem em cima dele. Ouviu então os sibilos do grupo de captura; montados nos seus negros cavalos-marinhos, já vinham galopando a toda velocidade em direção ao Gavião MasMas, deixando na água uma esteira de espuma.

E então, com um poderoso tremor e um violento sacolejo, o desejo de Haroun Khalifa se realizou.

A Lua Kahani começou a girar — depressa, pois como Haroun tinha especificado quando formulou seu desejo, havia pouco tempo a perder — e o sol se levantou e zarpou, rapidíssimo, para o alto do céu até ficar bem a pino; e ali permaneceu.

Se Haroun estivesse na Cidade de Gup nesse momento, teria gostado de assistir à consternação dos Cabeças de Ovo no Departamento dos PCD+P/EX. Os imensos supercomputadores e gigantescos giroscópios que antes controlavam os movimentos de Kahani a fim de manter sempre a Eterna Luz do Sol e a Escuridão Perpétua, com a Zona da Meia-Luz entre as duas, simplesmente ficaram malucos, e por fim explodiram. Os Cabeças de Ovo, consternados, relataram ao Leão Marinho o acontecido: "Seja lá o que for que está causando isso, é algo que possui uma força que nós não podemos nem imaginar, muito menos controlar".

Mas Haroun não estava na Cidade de Gup — cujos cidadãos tinham corrido para as ruas, boquiabertos, vendo a noite cair sobre Gup pela primeira vez na história, e as estrelas da Via Láctea encherem o céu. Não, Haroun estava deitado nas costas do Gavião MasMas, abrindo os olhos para encontrar a radiosa luz do sol batendo nas águas do Oceano e no Navio das Trevas. "Olha só!", disse ele. "Eu consegui! Consegui mesmo!"

"Nunca duvidei que você ia conseguir, nem por um momento", respondeu o Gavião MasMas, sem mexer o bico. "Fazer a Lua se mover pela força de vontade? Meu amigo, pensei, *não tem problema!*"

Coisas extraordinárias começavam a acontecer ao redor. Os batedores Tchupwalas, a galope nos seus negros cavalos-marinhos, começaram a dar silvos e gritos estridentes, sentindo a luz do sol atingi-los, e parecia que estavam começando a *derreter*... e afundar dentro do Mar envenenado e mortalmente ácido, primeiro se transformando em sombras comuns, depois se dissolvendo por completo, chiando e borbulhando enquanto desapareciam na água. "Olha!", gritou Haroun, "olha o que está acontecendo com o navio!"

A luz do sol tinha desfeito a magia negra do Mestre do Culto, Khattam-Shud. As sombras não podiam mais continuar sólidas naquela luz intensa; e o próprio navio, aquela embarcação imensa, começou a derreter, a perder a forma, como se fosse uma montanha de sorvete que alguém por engano tivesse deixado ao sol.

"Iff! Mali!", chamou Haroun, e apesar das advertências de MasMas, subiu correndo pela prancha de embarque (que ia amolecendo de minuto a minuto), rumo ao convés que já estava afundando.

Quando chegou lá em cima, o convés estava tão mole e pegajoso que Haroun teve a sensação de pisar no asfalto quente, ou talvez numa cola. Os soldados Tchupwalas gritavam e corriam de um lado para o outro como loucos, desmanchando-se diante dos olhos de Haroun, transformando-se em poças de sombra e depois desaparecendo por completo, pois uma vez que a magia de Khattam-Shud foi destruída pela luz do sol, nenhuma sombra poderia sobreviver sem alguém, ou alguma coisa, a que se ligar; tinha de ser a sombra *de algo*. O Mestre do Culto, ou, para ser exato, o seu Eu de Sombra, não se encontrava em parte alguma.

O veneno evaporava dos caldeirões no convés, e os próprios caldeirões já iam amolecendo e derretendo como uma manteiga negra. Até o gigantesco guindaste do qual pendia a Rolha, presa por enormes correntes, começou a estremecer e balançar na chocante luz do dia.

Tanto o Gênio da Água como o Jardineiro Flutuante tinham sido suspensos sobre dois caldeirões de veneno, amarrados pela cintura com cordas presas a dois guindastes laterais. Assim que Haroun os avistou, as cordas arrebentaram (também eram trançadas com sombras); e Iff e Mali sumiram de vista, caindo nos terríveis caldeirões. Haroun soltou um grito de angústia.

Porém o veneno tinha secado com o sol, e os próprios caldeirões estavam tão moles que, diante dos olhos de Haroun, Iff e Mali começaram a arrancar grandes pedaços com as mãos, fazendo buracos por onde conseguiram sair. Os caldeirões estavam reduzidos à consistência de um queijo derretido; e com o convés inteiro a mesma coisa acontecia. "Vamos dar o fora daqui!", foi a sugestão de Haroun. Os outros dois o seguiram, e desceram correndo pela passarela que parecia uma borracha pegajosa; Iff e Haroun pularam nas costas do Gavião MasMas e Mali pisou na água ao lado deles.

"Missão cumprida!", exclamou Haroun, cheio de alegria. "MasMas, vamos embora, a todo vapor!"

"Va-rruuuum!", concordou o Gavião MasMas, sem mexer o bico. E começou a se afastar depressa do Navio das Trevas, rumo ao canal que Mali tinha aberto na floresta de mato; e foi então que ouviram um som estranho, doentio, e sentiram um leve cheiro de queimado vindo da cabeça de MasMas, que de repente parou de vez.

"Ele queimou um fusível", disse Iff. Haroun ficou mortificado: "Acho que não fiz as ligações direito! Puxa, e eu que pensei que fui tão bamba; agora ele estragou, nunca mais vai funcionar!".

Iff o consolou: "O que é ótimo num cérebro mecânico é que pode ser revisado, consertado e até substituído. Sempre tem uns sobressalentes lá na Oficina Mecânica da Cidade de Gup. Se conseguirmos levar o Gavião até lá, ele vai ficar direitinho, coisa fina, classe A."

"Sim", disse Haroun, "isso se nós conseguirmos chegar a algum lugar." Estavam agora à deriva na Zona Velha, sem nenhuma perspectiva de ajuda. "Depois de já terem passado por tanta coisa", pensou Haroun, "isso simplesmente não era justo."

"Eu empurro um pouco", Mali se ofereceu, e tinha começado a fazer isso quando ouviram um estranho barulho, um ruído lúgubre de alguma coisa sendo sugada: era o Navio das Trevas de Khattam-Shud, o Mestre do Culto, por fim se derretendo inteirinho. Com isso a Rolha, ainda incompleta, caiu lá embaixo, no leito do Mar, sem causar nenhum dano, deixando a Fonte de Histórias totalmente desbloqueada. Novas histórias continuariam a jorrar da Nascente, e assim um dia o Mar ficaria novamente limpo, e todas as histórias, mesmo as mais velhas, voltariam a ter o gostinho de novas.

Mali não aguentava mais empurrá-los; exausto, caiu em cima das costas do Gavião. Estavam no meio da tarde (a Lua Kahani girava agora a uma velocidade "normal"), e foram deslizando à deriva pelo Mar do Polo Sul, sem saber o que fazer.

Bem nesse momento viram ao seu lado espumas e bolhas se formando na água, e Haroun reconheceu, com enorme alívio, as muitas bocas sorridentes dos Peixes Milbocas.

"Galpi! Bagha!", exclamou, alegre, e os Milbocas responderam:

"Não tenham medo! Chega de susto!"

"Vamos salvá-los a qualquer custo!"

"Sua tarefa já está pronta!"

"Deixem o resto por nossa conta!"

E assim, Bagha e Galpi, tomando na boca as rédeas do Gavião MasMas, foram rebocando seus companheiros para fora da Zona Velha. "Estou pensando no que será que aconteceu com Khattam-Shud", disse Haroun por fim. Iff deu de ombros, satisfeito: "Encontrou seu fim, isso eu garanto. Para o Mestre do Culto não há escapatória: derreteu-se como todos os outros. Para ele acabou-se a história, adeus, era uma vez. Ele agora é *khattam-shud*."

"Mas lembre-se, aquele era apenas o Eu de Sombra do Mestre do Culto", lembrou Haroun, sério. "O outro Khattam-Shud, o 'verdadeiro', deve estar lutando agora contra o General Kitab, os Páginas, Mudra, e o meu pai — e Tagarela." "*Tagarela*", pensou com seus botões, "*será que ela sentiu falta de mim, só um pouquinho?*"

A região que antes era a Zona da Meia-Luz agora estava banhada nos últimos raios de sol. "De agora em diante, Kahani vai ser uma Lua sensata", pensou Haroun, "com dias e noites razoáveis." À distância, na direção nordeste, viu então, iluminado pelo sol da tarde pela primeira vez em muitos milênios, o litoral da Terra de Tchup.

11. A PRINCESA BATCHIT

AGORA PRECISO CONTAR a você rapidamente tudo o que aconteceu enquanto Haroun estava lá na Zona Velha.

Como você se lembra, a Princesa Batchit Chattergy fora capturada e agora estava presa no aposento mais alto da torre mais alta da Cidadela de Tchup, um enorme castelo construído inteiramente de gelo negro, cujo vulto ameaçador se elevava sobre a cidade de Tchup como um colossal Pterodáctilo ou Arquerópterix. Portanto, foi para a Cidade de Tchup que se dirigiu o Exército Gupi, tendo à frente o General Kitab, o Príncipe Bolo e Mudra, o Guerreiro da Sombra.

A Cidade de Tchup ficava no âmago da Escuridão Perpétua, e o ar ali era tão frio que virava um fio de gelo pendurado no nariz das pessoas, e assim ficava até se quebrar. Por esse motivo, os Tchupwalas que ali moravam usavam umas pequenas esferas para aquecer o nariz, e com isso ficavam parecendo palhaços de circo, só que os tapa-narizes eram negros.

Os Páginas de Gup que marchavam para a Zona da Escuridão receberam tapa-narizes vermelhos. "Francamente, isso aqui está parecendo uma guerra entre bufões", pensou Rashid, o contador de histórias, colocando seu nariz falso de um vermelho brilhante. Mesmo o Príncipe Bolo, que achava aqueles objetos decididamente indignos da sua posição, sabia que um nariz congelado, com uma estalactite pendurada na ponta, seria pior ainda. Assim, ficou de um mau humor terrível, mas colocou também o seu aquecedor de nariz.

E havia também os capacetes. Os Páginas de Gup receberam os capacetes mais estranhos que Rashid já tinha visto (cortesia do Leão Marinho e dos Cabeças de Ovo lá do Departamento dos PCD+P/EX. À volta de cada um havia uma espécie de fita que acendia e ficava luminosa quando se colocava o capacete na cabeça. Com isso os Páginas de Gup pareciam um regimento de anjos ou de santos, pois cada um vinha com um halo brilhante em torno da cabeça. A voltagem conjunta de todos esses "halos" deveria bastar para que os Gupis enxergassem seus adversários, mesmo na Escuridão Perpétua; ao passo que os Tchupwalas, mesmo usando seus elegantes óculos escuros que davam a volta no rosto, poderiam ficar ofuscados com a luz.

"Eis uma guerra que utiliza a tecnologia mais avançada", pensou Rashid com ironia. "Nenhum dos dois exércitos vai conseguir enxergar direito durante o combate."

Ao lado da cidade de Tchup ficava o campo de batalha, a larga planície de Bat-Mat-Karo, com duas pequenas colinas nas extremidades, onde os comandantes rivais podiam armar suas tendas e observar o desenrolar da batalha. Além do General Kitab, do Príncipe Bolo e de Mudra, veio também à colina de comando Rashid, o contador de histórias (cuja presença era necessária, pois só ele sabia traduzir para os outros a Linguagem de Gestos de Mudra), e ainda um destacamento — ou "Livreto" — de Páginas, incluindo Tagarela, para servir como guardas e mensageiros. Os comandantes Gupis, todos parecendo ligeiramente tolos com seus narizes vermelhos, sentaram-se na tenda do Estado-Maior para tomar uma leve refeição pré-batalha; e enquanto comiam, viram que se aproximava a cavalo um Tchupwala, um sujeitinho com cara de funcionário, usando um manto com capuz com o símbolo do Zíper na Boca e levando uma bandeira branca em sinal de trégua.

"Ora, ora, Tchupwala", disse o Príncipe Bolo, com um jeito audaz e um pouquinho tolo, "o que o traz aqui?" E acrescentou sem a mínima consideração: "Mas puxa vida, que sujeitinho insignificante, medíocre, antipático, desprezível e cara de fuinha que você é!".

"Com mil raios e trovões, Bolo!", cortou o General Kitab com um vozeirão de trovão, "isso não é jeito de se dirigir a um emissário que vem com uma bandeira branca!"

O emissário deu um sorrisinho maldoso de indiferença, e então falou, numa voz baixa e sibilante: "O Supremo Mestre do Culto, Khattam-Shud, concedeu-me uma dispensa especial do meu voto de silêncio, para que esta mensagem possa ser comunicada. Ele envia suas saudações e informa que vocês estão invadindo o solo sagrado de Tchup. Informa ainda que não irá negociar com vocês, nem tampouco devolver a tal da Batchit, aquela espiã de vocês, abelhuda e xereta". "Ai, mas que barulheira dos infernos ela faz!", acrescentou o emissário, obviamente falando agora em seu próprio nome. "Como ela atormenta nossos ouvidos com as suas canções! E isso sem falar no seu nariz, na sua boca..."

"Não é preciso entrar em detalhes", interrompeu o General. "Dane-se, não estamos interessados nas suas opiniões! Termine logo sua maldita mensagem!"

O emissário Tchupwala continuou: "Sendo assim, Khattam-Shud manda avisá-los que, a menos que vocês se retirem imediatamente, vossa invasão ilegal será castigada com a aniquilação total; e o Príncipe Bolo de Gup será acorrentado e levado até a Cidadela de Tchup, para que possa testemunhar pessoalmente a Costura da Boca de Batchit — e ainda bem, mesmo, que alguém vai costurar aquela matraca!".

"Canalha! Bandido! Patife! Crápula!", gritou o Príncipe Bolo. "Eu devia cortar suas orelhas, fritá-las com um pouquinho de alho na manteiga e servi-las de almoço aos cães!"

"Contudo", continuou o emissário Tchupwala, ignorando totalmente a explosão de Bolo, "antes da vossa derrota total, tenho ordens de entretê-los por alguns momentos, se me permitirem. Sou, modéstia à parte, o melhor malabarista da

Cidade de Tchup, e tenho ordens de fazer uma demonstração de malabarismo, se vocês assim desejarem, para seu prazer e deleite."

Tagarela, que estava atrás da cadeira do Príncipe Bolo, gritou: "*Não confiem* nele! É um *truque!*".

O General Kitab, com seu amor pelos debates, parecia perfeitamente disposto a discutir esta possibilidade, mas Bolo fez um gesto amplo com seu régio braço e exclamou: "Silêncio, Pajem! As normas da cavalaria exigem que aceitemos!". E disse para o emissário, da maneira mais altiva que conseguiu: "Muito bem, Tchupwala, assistiremos aos seus malabarismos".

O emissário começou a demonstração. Das profundezas do seu manto tirou uma coleção estonteante de objetos — bolas de ébano, garrafas de madeira, estatuetas de jade, xícaras de porcelana, tartaruguinhas vivas, cigarros acesos, chapéus — e começou a atirá-los para o alto, fazendo fascinantes rodeios e volteios. Quanto mais depressa jogava, mais complicados se tornavam os malabarismos; e seu público ficou tão completamente hipnotizado pela sua habilidade que só uma pessoa na tenda percebeu o momento em que um objeto extra foi acrescentado àquele tropel de coisas voadoras — uma pesada caixinha retangular, da qual se destacava um pavio aceso...

"Querem fazer *o favor* de tomar *cuidado*?", berrou Tagarela, que desatou a correr, derrubando o Príncipe Bolo (e sua cadeira). "Esse cara está com uma *bomba acesa!*"

Em dois passos ela chegou até o emissário Tchupwala, e usando seu olho atilado e cada milímetro da sua destreza de malabarista, apanhou a bomba em meio a todos aqueles objetos que subiam, desciam e rodopiavam. Outros Páginas agarraram o Tchupwala, e todas as estatuetas, xícaras e tartaruguinhas despencaram no chão... mas Tagarela já ia correndo em disparada até a beira da colina, correndo com quantas pernas tinha, e quando chegou à beirada jogou a bomba lá para baixo, onde explodiu numa bola enorme (mas agora inofensiva) de flamejantes labaredas negras.

O capacete tinha caído da sua cabeça. Seu cabelo longo caía como uma cascata sobre os ombros, diante dos olhos de todos.

Bolo, o General, Mudra e Rashid correram da tenda quando ouviram a explosão. Tagarela estava sem fôlego, mas sorrindo feliz: "Então, escapamos *por pouco!*", disse ela. "Mas que *sujeitinho* aquele Tchupwala! Estava pronto a *se suicidar e ir pelos ares* junto com todos nós! *Eu não disse* que era um truque?"

O Príncipe Bolo, que não gostava que seus Páginas dissessem "Eu não disse?", atalhou: "Que é isso, Tagarela? Você é uma moça?".

"Agora que o senhor já *reparou*, não adianta continuar *fingindo*."

"Você nos enganou!", disse Bolo, corando. "Você enganou *a mim!*"

Tagarela ficou indignada com a ingratidão de Bolo: "*Desculpe*, mas enganar o senhor não é uma coisa assim *tão difícil*. Se um *malabarista* consegue, por que não uma *moça?*".

Por trás do seu tapa-nariz vermelho, Bolo ficou com o rosto vermelhíssimo. "Você está despedida!", gritou a plenos pulmões.

"Bolo, deixa disso...", começou o General Kitab.

"*Não estou despedida, não!*", gritou Tagarela. "Olha aqui, seu moço, *sou eu* que *peço demissão!*"

Mudra, o Guerreiro da Sombra, vinha observando esses acontecimentos com uma expressão totalmente inescrutável no rosto pintado de verde. Agora, porém, suas mãos começaram a se mexer, suas pernas a assumir posições eloquentes, seus músculos faciais a se retorcer e contorcer. Rashid traduziu: "Não devemos brigar agora que a batalha está prestes a começar. Se o Príncipe Bolo não precisa mais dos serviços de uma Página tão corajosa, quem sabe a Senhorita Tagarela gostaria de trabalhar para mim?".

Com o que o Príncipe Bolo de Gup abaixou a crista e pareceu envergonhado, e a Srta. Tagarela ficou extraordinariamente satisfeita.

Por fim a batalha começou.

Rashid Khalifa, observando da colina de comando Gupi, sentiu medo que os Páginas de Gup fossem violentamente derrotados. "Creio que *rasgados* seria a palavra certa para os Páginas", refletiu ele, "ou talvez *queimados*." Ficou surpreso com sua repentina capacidade de ter pensamentos sanguinários, e refletiu: "Acho que a guerra endurece as pessoas".

Os soldados Tchupwalas, com seus narizes negros e mais o silêncio ameaçador que pairava sobre eles como uma densa névoa, pareciam aterrorizantes, impossíveis de derrotar. Enquanto isso, os Gupis continuavam ocupados em discutir tudo nos mínimos detalhes. Cada ordem enviada da colina de comando tinha de ser debatida tim-tim por tim-tim, com todos os seus prós e contras, mesmo que viesse do próprio General Kitab. "Como é possível começar uma batalha desse jeito, com todo o mundo matraqueando e falando pelos cotovelos?", pensou Rashid, perplexo.

Mas foi então que os exércitos investiram um contra o outro, e Rashid viu, para sua grande surpresa, que os Tchupwalas eram totalmente incapazes de resistir aos Gupis. Os Páginas de Gup, agora que já tinham discutido tudo minuciosamente, lutavam duro, permaneciam unidos, apoiavam uns aos outros quando necessário, e pareciam, de modo geral, uma equipe com um objetivo comum. Toda aquela abertura, todos aqueles debates e discussões tinham criado entre eles poderosos laços de camaradagem. Os Tchupwalas, por outro lado, iam se revelando uma multidão desunida.

Bem como tinha previsto Mudra, o Guerreiro da Sombra, muitos tinham de lutar contra suas próprias sombras traiçoeiras! E quanto aos outros, bem, seu voto de silêncio e o hábito de manter tudo em segredo os faziam desconfiar e suspeitar um do outro. Tampouco tinham fé nos seus generais. O resultado era que os Tchupwalas não lutavam ombro a ombro, mas traíam um ao outro, apunhalavam um ao outro pelas costas, se amotinavam, se escondiam, desertavam... e depois da refrega mais curta que se possa imaginar, simplesmente jogaram fora todas as suas armas e fugiram correndo.

Depois da Vitória de Bat-Mat-Karo, o exército, ou "Biblioteca" de Gup entrou em triunfo na Cidade de Tchup. Ao ver Mudra, muitos Tchupwalas vieram unir-se aos Gupis. As mocinhas Tchupwalas, com seus tapa-narizes negros, corriam pelas ruas geladas enfeitando os soldados Gupis, ainda com seus narizes vermelhos e capacetes de halo, com guirlandas feitas de flocos de neve negra; e também lhes davam beijos, e os chamavam de "Libertadores de Tchup".

Tagarela, com seu cabelo solto, ondulante, não mais escondido sob nenhum gorro de veludo nem capacete de halo, atraía a atenção de diversos rapazes da Cidade de Tchup. Porém ela caminhava o mais perto possível de Mudra, como também fazia Rashid Khalifa; e ambos, Rashid e Tagarela, viam que seus pensamentos se voltavam constantemente para Haroun. Onde estava ele? Estaria a salvo? Quando voltaria?

O Príncipe Bolo, que ia à frente fazendo cabriolas no seu cavalo mecânico, começou a gritar com seu jeito de costume, atrevido mas um tantinho tolo: "Onde está você, Khattam-Shud? Apareça! Seus seguidores já foram derrotados, agora é a sua vez! Batchit, não tenha medo! Seu Bolo está aqui! Batchit, onde está você? Minha donzela dourada, meu amor! Batchit, oh minha Batchit!".

"Se você ficasse quieto um minuto, logo saberia onde está a sua Batchit", disse uma voz Tchupwala no meio da multidão que tinha saído às ruas para saudar os Gupis. (Muitos Tchupwalas tinham começado a quebrar as Leis do Silêncio, dando vivas, gritando e assim por diante.) "Sim, use os seus ouvidos!", concordou uma voz de mulher. "Não está escutando essa barulheira infernal, que está obrigando nós todos a beber?"

"Ela canta?", exclamou o Príncipe Bolo, colocando a mão em concha no ouvido. "Minha Batchit está cantando? Então, silêncio, amigos, atentem para o seu canto!" Levantou o braço, e a parada triunfal dos Gupis estacou no ato. E agora, trazida pelo vento desde a Cidadela de Tchup, veio uma voz feminina cantando canções de amor. Era a voz mais horrível que Rashid Khalifa, o Xá do Blá-blá-blá, já tinha ouvido em toda a sua vida.

"Se essa é Batchit", pensou — mas não ousou dizer em voz alta —, "então quase dá para compreender por que o Mestre do Culto quer fechar a boca dela de uma vez por todas."

Oh, penso no meu Bolo noite e dia
E nada mais me dá alegria!

cantava Batchit, e o vidro se estilhaçava nas vitrines das lojas. "Tenho certeza de que conheço essa canção, mas as palavras são diferentes", pensou Rashid, intrigado.

Quero lhes contar sobre meu Bolo
Meu amor, meu noivo, meu consolo!

cantava Batchit, e os homens e mulheres aglomerados na rua imploravam: "Chega! Basta!". Rashid franziu a testa: "Sim, sim, é uma canção bem conhecida, mas as palavras não eram essas!".

Triste penso no meu Bolo
Vivo nesse desconsolo
Nunca lhe darei o bolo
Nem que nosso amor dê rolo
Oh meu bem, oh meu Bolo!

cantava Batchit, e o Príncipe Bolo exclamou: "Lindo! Como é belo!", ao que a multidão de Tchupwalas respondeu: "Aaaargh! Pelo amor de Deus, façam ela calar a boca!".

Meu amado não é tolo
Não sei o que tem no miolo
Nem sei onde vou pô-lo
Mas creio no nosso amor-lo
Oh meu amor, oh meu Bolo!

cantava Batchit, e o Príncipe Bolo, fazendo piruetas no seu cavalo, quase desmaiou de deleite. "Ouçam, ouçam!", exclamou enlevado. "Será uma voz, ou o que será?"

"Deve ser um que-será", respondeu a multidão em coro, "porque voz é que não é!"

O Príncipe Bolo ficou profundamente magoado. "Estas pessoas obviamente não sabem apreciar a beleza do canto contemporâneo!", disse alto para Mudra e para o General Kitab. "E sendo assim, creio que agora devemos atacar a Cidadela, se vocês não se importam."

Nesse momento aconteceu um milagre.

A terra tremeu debaixo dos pés: uma, duas, três vezes. As casas da cidade de Tchup estremeceram; muitos Tchupwalas (e Gupis também) deram gritos de terror, e o Príncipe Bolo caiu do cavalo.

"Terremoto, terremoto!", gritava o povo, mas não era um terremoto comum. Era Kahani, a Lua inteira, que, com um poderoso tremor e um tremendo sacolejo, começava a girar sobre o seu eixo, em direção ao...

"Olhem para o céu!", gritavam as pessoas. "Olhem o que está subindo no horizonte!"

...em direção ao sol.

O sol ia se levantando sobre a Cidade de Tchup, sobre a Cidadela de Tchup. Subia rapidamente, e continuou a subir até ficar bem a pino, lançando seus raios chamejantes com toda a fúria do calor do meio-dia; e ali ficou. Muitos Tchup-walas, incluindo Mudra, o Guerreiro da Sombra, tiraram do bolso uns óculos escuros até que bem modernosos, desses curvos, que dão a volta no rosto, e os colocaram para proteger-se.

O nascer do sol! A luz despedaçou a mortalha de silêncio e de sombra que a bruxaria de Khattam-Shud tinha lançado sobre a Cidadela. O gelo negro da fortaleza de trevas recebeu a luz do sol como uma ferida mortal.

Os cadeados nos portões da Cidadela se derreteram e o Príncipe Bolo, de espada em riste, entrou galopando pelos portões abertos, seguido por Mudra e vários "Capítulos" de Páginas.

"Batchit!", gritava Bolo enquanto investia. E ao ouvir esse nome, seu cavalo relinchava.

"Bolo!", veio a resposta de muito longe.

Bolo desmontou e, juntamente com Mudra, subiu correndo as escadarias, atravessou pátios e subiu mais escadarias, enquanto à sua volta os pilares da Cidadela de Khattam-Shud, amolecidos pelo calor do sol, começaram a dobrar-se e cair. Os arcos iam cedendo, as cúpulas se derretendo; e os servos do Mestre do Culto, membros da União do Zíper na Boca, corriam cegamente para lá e para cá, chocando-se contra as paredes, dando trombadas um no outro e soltando gritos terríveis, esquecendo-se, no seu pavor, de todas as Leis do Silêncio.

Era o momento da destruição final de Khattam-Shud. Enquanto Bolo e o Guerreiro da Sombra iam subindo aos saltos até o coração da Cidadela, que já se derretia, a voz do Príncipe chamando "Batchit! Batchit!" fazia desmoronar as paredes e as torres. E por fim, quando já começavam a perder as esperanças de encontrá-la em segurança, a Princesa Batchit apareceu, com aquele nariz (num tapa-nariz preto dos Tchupwalas), aqueles dentes... mas não é preciso entrar em detalhes. Vamos nos limitar a dizer que não havia dúvida de que era mesmo Batchit, seguida por suas damas de companhia, que vinha escorregando pelo corrimão de uma grande escadaria cujos degraus já tinham derretido. Bolo esperou; Batchit voou do corrimão direto para os seus braços. O Príncipe cambaleou, deu uns passos para trás, mas não caiu.

De repente ouviram um tremendo estrondo. Enquanto Bolo, Batchit, Mudra e as damas de companhia desciam correndo pelos pátios amolecidos e escadarias pegajosas, olharam para trás e viram, bem lá em cima, no ápice da Cidadela, a gigantesca estátua de gelo de Bezaban: o colossal ídolo sem língua, com seu riso de muitos dentes, começou a cambalear e tremer, até que, como um bêbado que cai, desmoronou.

Foi como a queda de uma montanha. O que ainda sobrava dos corredores e pátios da Cidadela de Tchup foi literalmente arrasado quando Bezaban se espatifou. A enorme cabeça da estátua partiu-se no pescoço e veio rolando pelos degraus e plataformas da Cidadela, até chegar ao pátio onde estavam agora Bolo, Mudra e as damas, já nos portões da Cidadela, assistindo a esses acontecimentos com um horror fascinado, enquanto atrás se aglomeravam Rashid Khalifa, o General Kitab e uma multidão de Gupis e Tchupwalas.

Rolando, caindo, lá vinha a imensa cabeça; as orelhas e o nariz quebraram quando ela bateu no chão, e os dentes saltaram da boca. Lá vinha ela, rolando, caindo. E então: "Olhem!", gritou Rashid Khalifa, apontando; e dali a um momento: "Cuidado!". Tinha visto uma figurinha insignificante usando um manto com capuz, descendo apressadinha para o pátio da Cidadela: um sujeitinho com jeito de funcionário, antipático, choramingas, medíocre, desprezível e cara de fuinha, que não tinha sombra mas parecia ser meio sombra, meio homem. Era o Mestre do Culto, Khattam-Shud, correndo para salvar a vida. Ouviu o grito de Rashid tarde demais; virou-se, e com um grito diabólico, viu a cabeça gigantesca do Colosso de Bezaban chegar rolando e lhe bater direto no nariz. Ficou esmagado e esfrangalhado de tal forma que nem um fiapinho dele jamais foi visto outra vez. A cabeça, com seu sorriso sem dentes, parou naquele pátio e ali continuou lentamente a se derreter.

Chegou a paz.

O novo governo da Terra de Tchup, chefiado por Mudra, anunciou seu desejo de estabelecer uma paz longa e duradoura com a Terra de Gup, uma paz em que a Noite e o Dia, a Fala e o Silêncio não mais seriam separadas em duas metades divididas por Zonas da Meia-Luz e Muralhas de Força.

Mudra convidou a Srta. Tagarela para ficar com ele e aprender Abinaya, a Linguagem dos Gestos, e assim servir de intermediária entre as autoridades de Gup e as de Tchup; e Tagarela aceitou com alegria.

Enquanto isso, os Gênios da Água Gupis, montados em seus pássaros voadores mecânicos, foram enviados para dar busca no Oceano, e depois de pouco tempo localizaram o Gavião-Avião avariado, sendo rebocado por Galpi e Bagha em direção ao norte, levando nas costas três "espiões" exaustos mas felizes.

Haroun reencontrou seu pai e também Tagarela, que parecia estranhamente tímida e sem jeito na sua presença, mais ou menos como ele se sentia na presença dela. O encontro foi no litoral de Tchup, onde antes era a Zona da Meia-Luz; e todos partiram contentes para a Cidade de Gup, pois havia um casamento marcado e era preciso fazer os preparativos.

De volta à Cidade de Gup, o Porta-Voz do Parlamuito anunciou algumas promoções: Iff foi nomeado Chefe dos Gênios da Água; Mali, Mestre dos Jardineiros Flutuantes; e Galpi e Bagha, Líderes de Todos os Peixes Milbocas do Mar. Conjuntamente, estes quatro receberam a responsabilidade pela Operação Limpeza, que deveria começar imediatamente no Mar de Fios de Histórias, de ponta a ponta e de cima a baixo. Os quatro anunciaram que estavam particularmente ansiosos para restaurar a Zona Velha o mais rápido possível, para que as histórias antigas pudessem voltar a ser frescas e novas.

Rashid Khalifa ganhou de volta seus direitos à Água de Histórias e ainda recebeu a mais alta condecoração da Terra de Gup, a Ordem da Boca Aberta, como reconhecimento pelos seus excepcionais serviços durante a guerra. O recém-nomeado Chefe dos Gênios da Água concordou em fazer pessoalmente a reconexão do seu suprimento de água.

O Gavião MasMas foi rapidamente consertado e voltou ao seu estado normal, assim que a Oficina Mecânica de Gup instalou nele um cérebro novo.

E a Princesa Batchit? Tinha sobrevivido à prisão em boas condições, se bem que o medo de que sua boca fosse costurada a deixou com um ódio pelas agulhas que lhe durou o resto da vida. E no dia do seu casamento com o Príncipe Bolo os dois pareciam tão felizes e tão apaixonados quando apareceram no balcão do palácio, acenando para a multidão de Gupis e visitantes Tchupwalas reunidos lá embaixo, que todos resolveram esquecer que Batchit tinha sido incrivelmente idiota por ter se deixado prender, e esquecer também as muitas atitudes tolas que Bolo tomou durante a guerra que se seguiu. "Afinal", disse Iff, o Chefe dos Gênios da Água, cochichando baixinho para Haroun, enquanto assistiam a tudo no balcão, a alguns passos do feliz casal, "por aqui nós não deixamos os nossos cabeças coroadas fazerem nada de muito importante."

"Uma grande vitória foi conquistada", dizia o velho Rei Chattergy para a multidão, "a vitória do nosso Mar sobre o seu Inimigo, mas também a vitória da Abertura, da nova Amizade entre Gup e Tchup, derrotando a nossa velha Hostilidade, a nossa velha Desconfiança. Foi aberto o diálogo; e para comemorar este fato, assim como este casamento, que o povo todo cante!"

"Melhor ainda", sugeriu Bolo, "que Batchit cante, que nos faça uma serenata! Ouçamos a sua voz maviosa!"

Fez-se um breve silêncio. E então, numa só voz, a multidão rugiu: "Não, não, isso não! Por favor, nos poupe!".

Batchit e Bolo pareceram tão magoados que foi preciso que o Rei Chattergy salvasse a situação dizendo, com voz branda: "O que o povo quer dizer é que, no dia do seu casamento, eles todos desejam mostrar o seu amor cantando para vocês". O que não era exatamente verdade, mas serviu para alegrar o casal; e então a praça se encheu de música e canções. Batchit ficou de boca fechada, e todos se sentiram felicíssimos.

Quando Haroun ia saindo do balcão atrás da família real, foi abordado por um Cabeça de Ovo que lhe disse friamente: "Você está sendo chamado para apresentar-se agora mesmo no Departamento dos PCD+P/EX. O Leão Marinho quer falar com a pessoa que destruiu deliberadamente tantas máquinas insubstituíveis".

"Mas foi por uma boa causa!", protestou Haroun. O Cabeça de Ovo deu de ombros e foi-se embora dizendo: "Não sei. Isso é algo que compete a você discutir, e ao Leão Marinho decidir".

12. FOI MESMO O LEÃO MARINHO?

"**O QUE EU PRECISO É DE TESTEMUNHAS**", decidiu Haroun. "Quando Iff e Mali contarem ao Leão Marinho o motivo do meu desejo, ele vai compreender o porquê das máquinas quebradas." Uma grande festa rolava a todo vapor no palácio real, e Haroun levou vários minutos para encontrar o Chefe dos Gênios da Água no meio da multidão compacta que estourava balões, jogava arroz e lançava serpentinas. Por fim avistou Iff, com o turbante meio torto na cabeça, dançando freneticamente com uma jovem Gênia. Haroun teve de gritar para que Iff o escutasse no meio da música e da barulheira geral; e então, para seu horror, o Gênio lhe respondeu: "Tsk, tsk. Desculpe, mas discutir com o Leão Marinho? Não vale a pena, pode desistir, comigo não, violão".

"Mas Iff, você tem de ir!", pediu Haroun. "Alguém tem de explicar!"

"Explicar não é o meu forte", gritou Iff. "Não dou para a coisa, sou um zero à esquerda, não faz meu gênero."

Frustrado, Haroun foi procurar Mali. Encontrou o Mestre dos Jardineiros Flutuantes na segunda festa do casamento, que estava se realizando às margens (e dentro) da Lagoa, para os Gupis que preferiam o ambiente aquático (Peixes Milbocas e Jardineiros Flutuantes). Mali foi fácil de achar: estava em pé nas costas do Gavião MasMas, com seu chapéu de raízes enfiado na cabeça num ângulo bacana, e cantava com gosto para um público entusiasmado de Milbocas e Jardineiros:

Ele diz e ele repete
Ele manda e pinta o sete

Vai a fogo e a canivete
Mas a mim ninguém derrete!

"Mali!", gritou Haroun. "Preciso de ajuda!"

O Mestre dos Jardineiros Flutuantes interrompeu sua canção, tirou o chapéu de raízes, coçou a cabeça e falou, através dos seus lábios florais: "Leão Marinho? Você está num aperto bravo. Já ouvi contar. Problema sério. Desculpe, não posso fazer nada".

"Mas o que está acontecendo com todo o mundo?", exclamou Haroun. "Afinal, o que esse Leão Marinho tem de tão assustador? Quando eu o encontrei ele me pareceu um sujeito legal, se bem que seu bigode não era nada parecido com um bigode de leão-marinho."

Mali, triste, abanava a cabeça: "Leão Marinho, figurão importante. Não quero me meter em encrenca. Compreenda".

"Ah, francamente!", gritou Haroun, zangado. "Bom, vou ter de ir até lá e enfrentar a coisa sozinho. Puxa, que amigos!"

Quando já ia se afastando, ouviu o Gavião MasMas dizer, sem mexer o bico:

"Nem adianta pedir para mim, coisa que aliás você não fez. Sou apenas uma máquina."

Quando Haroun entrou pelas imensas portas do Departamento dos PCD+P/EX, sentiu seu coração cair lá embaixo. Ficou ali no vasto saguão de entrada, onde cada som dava eco, vendo os Cabeças de Ovo, com seus guarda-pós brancos, passarem depressa em todas as direções. Haroun achou que todos estavam olhando para ele com uma mistura de raiva, desprezo e pena. Teve de perguntar a três Cabeças de Ovo onde ficava o gabinete do Leão Marinho até finalmente conseguir chegar, depois de muito circular pelas passagens labirínticas do Departamento dos PCD+P/EX, o que o fez lembrar o dia em que foi seguindo Tagarela pelos corredores do palácio. Mas por fim lá estava ele em frente a uma porta dourada onde se lia: GRANDE CONTROLADOR DOS PROCESSOS COMPLICADOS DEMAIS PARA EXPLICAR. SUA EXCELÊNCIA O LEÃO MARINHO. FAVOR BATER NA PORTA E ESPERAR.

"Aqui estou finalmente, prestes a conseguir a entrevista que foi meu primeiro motivo para vir a Kahani", refletiu Haroun, nervoso. "Só que não era esta entrevista que eu tinha em mente, nada disso." Respirou fundo e bateu.

Ouviu a voz do Leão Marinho: "Entre!". Haroun respirou fundo mais uma vez e abriu a porta.

A primeira coisa que viu foi o Leão Marinho, sentado numa reluzente cadeira branca, numa reluzente mesa amarela, com sua cabeçona de ovo, lisinha e careca, brilhando tanto quanto a mobília, e o bigode se retorcendo febrilmente, talvez de raiva.

A segunda coisa que Haroun notou foi que o Leão Marinho não estava sozinho.

No seu gabinete, dando largos sorrisos, estavam o Rei Chattergy, o Príncipe Bolo, a Princesa Batchit, o Porta-Voz do Parlamuito, Mudra, o Presidente de Tchup, sua assistente, a Srta. Tagarela, o General Kitab, Iff, Mali e também Rashid Khalifa. Na parede havia um telão de vídeo onde Haroun viu Galpi e Bagha, sob a superfície da Lagoa, lhe dando largos sorrisos com cada uma das suas mil bocas. O Gavião MasMas o fitava de um segundo telão.

Haroun ficou absolutamente pasmo. Conseguiu perguntar: "Afinal, fiz alguma de errado? Ou não?". E todo o mundo na sala estourou na gargalhada: "Desculpe, por favor!", disse o Leão Marinho, com lágrimas escorrendo de tanto rir. "Estávamos brincando com você. Foi uma brincadeira. Só uma *brincadeirinha*!", repetiu, e teve outro acesso de riso.

"Mas então o que é isso?", perguntou Haroun. O Leão Marinho por fim se recompôs e fez a sua cara mais séria; só que nesse momento seu olhar encontrou o de Iff e ele estourou na gargalhada outra vez; e com isso Iff teve outro ataque de riso, e todos os outros também. Passaram-se vários minutos antes que voltasse a ordem.

"Haroun Khalifa", disse o Leão Marinho, levantando-se, ainda um pouco ofegante e segurando a barriga que lhe doía de tanto rir, "para lhe render uma homenagem pelos incalculáveis serviços que você prestou aos povos de Kahani e ao Mar dos Fios de Histórias, nós lhe concedemos o direito de nos pedir qualquer favor que você desejar, e prometemos concedê-lo se for possível, mesmo que para isso seja necessário inventar mais um Processo Complicado Demais Para Explicar, novinho em folha."

Haroun ficou calado.

"Bem, Haroun", perguntou Rashid, "tem alguma ideia?"

Haroun continuava em silêncio, de repente parecendo infeliz. Foi Tagarela quem compreendeu seus sentimentos, chegou-se até ele, pegou sua mão e perguntou: "O que foi? O que está acontecendo?".

"Não adianta pedir nada", respondeu Haroun com voz sumida. "O que eu realmente quero é uma coisa que ninguém aqui pode me dar."

"Absurdo!", retrucou o Leão Marinho. "Sei perfeitamente o que você quer. Você esteve numa grande aventura, e no final de uma grande aventura todo o mundo quer a mesma coisa."

"Ah, é?", disse Haroun, com certa hostilidade. "E que coisa é essa?"

"Um final feliz", disse o Leão Marinho. Com isso Haroun ficou calado. "Não é verdade?", insistiu o Leão Marinho.

"Bem, acho que sim", reconheceu Haroun, constrangido. "Mas o final feliz que eu tenho em mente não é uma coisa que se pode encontrar em nenhum Oceano, mesmo num Oceano cheio de Milbocas."

O Leão Marinho fez que sim com a cabeça, devagar e

ponderadamente, sete vezes. Sentou-se então à sua mesa, juntando as pontas dos dedos, e indicou para Haroun e os demais que se sentassem também. Haroun sentou-se numa reluzente cadeira branca, em frente ao Leão Marinho, e os outros se sentaram em cadeiras semelhantes, encostadas na parede.

"A-ham!", começou o Leão Marinho. "É muito mais raro do que as pessoas pensam encontrar um final feliz numa história, e também na vida real. Quase se pode dizer que é uma exceção, e não a regra."

"Ah, então o senhor concorda comigo!", disse Haroun. "Pois então é isso!"

O Leão Marinho continuou:

"E exatamente porque é tão raro se encontrar um final feliz que nós, aqui no Departamento dos PCD+P/EX, aprendemos a sintetizar os finais felizes artificialmente. Ou, falando claro: *nós conseguimos fabricá-los.*"

"Mas é impossível!", protestou Haroun. "Isso não é uma coisa que se possa colocar numa garrafinha!" Mas acrescentou, hesitante: "Não é mesmo?".

"Se Khattam-Shud conseguia sintetizar anti-histórias", disse o Leão Marinho com um leve toque de orgulho ferido, "creio que você deveria aceitar que nós também conseguimos sintetizar uma série de coisas. E quanto a 'impossível', a maioria das pessoas diria que tudo o que aconteceu a você nos últimos tempos é total e absolutamente impossível. Assim, por que implicar justamente com *esta* coisa impossível?"

Houve mais um silêncio.

"Bom, então muito bem", disse Haroun, criando coragem. "O Senhor disse que poderia ser um grande desejo, e é mesmo. Eu venho de uma cidade triste, uma cidade tão triste que esqueceu até o seu próprio nome. Quero que o Senhor arranje um final feliz não só para a minha aventura, mas também para toda a minha cidade."

"Um final feliz deve vir no final de alguma coisa", observou o Leão Marinho. "Se ele acontece no meio de uma história, uma aventura ou algo assim, ele só serve para alegrar as coisas por um tempinho."

"Isso já serve", disse Haroun.

E então chegou a hora de voltar para casa.

Foram embora depressa, pois Haroun detestava as despedidas prolongadas. Dizer adeus para Tagarela foi especialmente difícil, e se ela não tivesse se inclinado de repente e lhe dado um beijo, Haroun provavelmente nunca encontraria um jeito de beijá-la; mas depois do beijo, descobriu que não estava absolutamente sem graça, mas sim contentíssimo; e com isso ficou ainda mais difícil ir embora.

No sopé do Jardim dos Prazeres, Haroun e Rashid acenaram para todos os seus amigos e montaram, juntamente com Iff, nas costas do Gavião-Avião. Só então foi que ocorreu a Haroun que Rashid devia ter perdido seu compromisso para contar histórias em K, e assim, com certeza aquele Brilhantina, o MasDemais, devia estar esperando por eles zangadíssimo quando voltassem ao Lago Sem Graça. "Mas mas mas não tem importância!", disse o Gavião MasMas sem mexer o bico. "Quem viaja com o Gavião MasMas tem o tempo a seu favor. Sai tarde e chega cedo! Vamos embora, pé na tábua! Va-vum-va-rrruuum!"

A noite já tinha caído sobre o Lago Sem Graça. Haroun viu a casa flutuante, o *Mil e Duas Noites*, serenamente ancorado sob a luz da lua. Aterrissaram junto à janela aberta de um quarto, e quando Haroun desmontou foi tomado por um cansaço tão grande que não conseguiu fazer mais nada além de cair na sua cama de pavão e adormecer imediatamente.

Quando acordou fazia uma alegre manhã de sol. Tudo parecia como sempre tinha sido; nada de Gênios da Água, nenhum Gavião-Avião — nem sombra.

Levantou-se, esfregando os olhos, e viu Rashid Khalifa sentado na varandinha da casa flutuante, ainda com sua longa camisola azul, saboreando uma xícara de chá. Um barco em forma de cisne vinha chegando, atravessando o Lago.

"Tive um sonho tão estranho...", começou Rashid Khalifa, mas foi interrompido pela voz de MasDemais, o Brilhantina, que lhes fazia acenos vigorosos lá do barco-cisne, gritando: "Ei! Alô!".

"Ah, meu Deus", pensou Haroun, "agora vai começar a gritaria e nós vamos ter de pagar todas as nossas despesas!"

"Olá, sonolento Senhor Rashid!", gritou MasDemais. "Será possível que o senhor e o seu filho ainda estão de camisola, quando já estou vindo buscá-los para a apresentação? Há uma verdadeira multidão à sua espera, vagaroso Senhor Rashid! Espero que o senhor não vá desapontá-los!"

Parecia que toda a aventura de Kahani tinha se passado em menos de uma única noite! "Mas é impossível!", pensou Haroun, o que o fez lembrar-se do Leão Marinho perguntando: "Por que implicar justamente com *esta* coisa impossível?" — Assim, virou-se rápido para seu pai e perguntou: "E o seu sonho? Você se lembra?".

"Agora não, Haroun", respondeu Rashid, e gritou para MasDemais, que vinha chegando: "Por que tanta ansiedade, meu senhor? Venha a bordo, tome um chá; já já estaremos vestidos e prontos para partir". E para Haroun disse: "Rápido, filho! O Xá do Blá-blá-blá não pode atrasar. O Mar de Ideias precisa manter a sua reputação de pontualidade".

"O Oceano!", insistiu Haroun, enquanto MasDemais vinha se aproximando no barco-cisne. "Pense, por favor! É muito importante!" Mas Rashid não estava prestando a menor atenção.

Haroun, um tanto desconsolado, foi se vestir; e notou então um envelopinho dourado em cima do seu travesseiro, daquele tipo de envelope que os hotéis finos costumam deixar à noite com chocolates de menta para os hóspedes. Dentro havia um bilhete escrito por Tagarela e assinado por ela e por todos os seus amigos de Kahani. (Galpi e Bagha, que não podiam escrever, tinham colado seus lábios de peixe no papel, mandando beijos em vez de assinar.)

"Venha quando quiser", dizia o bilhete. "E fique quanto tempo desejar. Lembre-se: quem viaja com o Gavião-Avião tem o tempo a seu favor."

Havia mais alguma coisa no envelope dourado: um minúsculo pássaro, perfeito até os mínimos detalhes, olhando bem para ele com a cabeça levantada. Era, naturalmente, o Gavião-Avião.

"Esse banho te fez muito bem mesmo", disse Rashid vendo Haroun sair do quarto. "Há meses não vejo você com uma cara tão satisfeita da vida."

Você deve se lembrar que o Sr. MasDemais e os outros membros do seu governo, que não era nada popular no vale de K, esperavam que Rashid Khalifa conquistasse o apoio do povo contando "narrativas animadoras, elogiosas" e cortando todas as "histórias lacrimejantes". Assim, tinham decorado um grande parque com enfeites alegres de todo tipo: faixas, bandeirinhas, serpentinas — e instalado alto-falantes à volta do parque, para que todos pudessem ouvir perfeitamente o Xá do Blá-blá-blá. Havia um palco pintado de várias cores, cheio de pôsteres que diziam VOTE EM MASDEMAIS, ou então VOTE EM MASDEMAIS — O CANDIDATO QUE É DEMAIS! E, de fato, uma verdadeira multidão tinha se aglomerado para ouvir Rashid; mas, pela cara feia que faziam, Haroun percebeu que as pessoas não gostavam nem um pouquinho do Sr. MasDemais.

"É sua vez", disse MasDemais. "Afamado Senhor Rashid, é melhor o senhor se sair bem, porque senão..."

Haroun ficou olhando dos bastidores laterais do palco; Rashid, sorridente, foi até o microfone, recebendo generosos aplausos. E então Haroun levou um tremendo choque, pois suas primeiras palavras foram: "Senhoras e senhores, o nome da história que vou lhes contar é *Haroun e o Mar de Histórias*".

"Ah, quer dizer que você não esqueceu!", pensou Haroun com um sorriso.

Rashid Khalifa, o Mar de Ideias, o Xá do Blá-blá-blá, olhou para o filho e deu-lhe uma piscadela que dizia: *"Você acha que eu ia me esquecer de uma história como essa?"*. E então começou:

"Era uma vez, no país de Alefbey, uma triste cidade, a mais triste das cidades, uma cidade tão arrasadoramente triste que tinha esquecido até o seu próprio nome."

Como você já deve imaginar, Rashid contou aos ouvintes naquele parque a mesma história que eu acabo de contar a você. Haroun concluiu que seu pai devia ter perguntado a Iff e aos outros os trechos que não tinha presenciado pessoalmente, pois seu relato foi absolutamente exato. E ficou claro que estava tudo bem com ele de novo, que o Dom da Palavra tinha voltado; Rashid mantinha o público preso na palma da mão. Quando cantava as canções de Mali, todos cantavam em coro: "Mas a mim ninguém segura!", e quando cantava as canções de Batchit, eles imploravam misericórdia.

Sempre que Rashid falava sobre Khattam-Shud e seus capangas da União do Zíper na Boca, o público inteiro cravava os olhos em MasDemais e *seus* capangas, sentados no palco ao lado de Rashid e parecendo cada vez menos satisfeitos à medida que a história se desenrolava. E quando Rashid contou ao público que quase todos os Tchupwalas sempre odiaram o Mestre do Culto, mas tinham medo de dizer isso, nesse momento um murmúrio alto de simpatia pelos Tchupwalas percorreu a multidão: *"sim"*, diziam baixinho, *"nós sabemos perfeitamente o que eles sentiam"*. E depois das duas quedas dos dois Khattam-Shud, alguém começou a cantar: "MasDemais, vá-se embora — *khattam-shud*, chegou a hora!", e o público inteiro começou a cantar junto. Ao ouvir esse refrão, Mas-Demais compreendeu que o jogo tinha acabado, e foi saindo do palco de fininho, junto com seus capangas. A multidão permitiu que ele fugisse, mas lhe atirou tomates e ovos. Mas-Demais nunca mais foi visto por lá, e com isso as pessoas do Vale de K ficaram livres para escolher novos líderes de quem realmente gostavam.

"Naturalmente, nós não recebemos o pagamento", disse Rashid, todo contente, a Haroun, enquanto esperavam o Expresso Postal para levá-los embora do Vale. "Mas não faz mal; o dinheiro não é tudo."

"Mas mas mas", disse uma voz bem conhecida, vinda do banco do motorista do Expresso Postal, "não ter dinheiro não é nada!"

Ainda chovia a cântaros quando voltaram para a cidade triste. Muitas ruas estavam alagadas. "E daí?", exclamou Rashid Khalifa, alegre. "Vamos para casa a pé. Faz anos que não fico encharcado numa bela chuva."

Haroun estava preocupado, com medo que Rashid ficasse deprimido ao voltar para o apartamento cheio de relógios quebrados e sem Soraya; assim, lançou ao pai um olhar desconfiado. Mas Rashid foi pulando e saltando no meio do aguaceiro, e quanto mais se molhava, caminhando pela água barrenta que chegava até a canela, mais alegre ia ficando, parecendo um menino feliz. Haroun começou a se contagiar com o bom humor do pai, e logo os dois estavam correndo e espirrando água um no outro como dois garotinhos.

Depois de algum tempo Haroun notou que, na verdade, as ruas da cidade estavam cheias de gente brincando daquela maneira, correndo, pulando, caindo, espadanando na água e, sobretudo, rindo até dizer chega.

"Até que enfim esta cidade aprendeu a se divertir", disse Rashid com um largo sorriso.

"Mas por quê?", perguntou Haroun. "Nada mudou, não é mesmo? Olhe, as fábricas de tristeza continuam funcionando, dá pra ver a fumaça; e quase todo mundo continua pobre..."

"Ei, seu cara feia!", gritou um senhor que devia ter pelo menos setenta anos de idade, mas que vinha dançando na chuva pelas ruas inundadas, brandindo seu guarda-chuva fechado como se fosse uma espada. "Não venha cantar essas Canções de Tragédia por aqui!"

Rashid Khalifa aproximou-se e disse: "Sabe o que é, meu senhor, nós estávamos viajando. Aconteceu alguma coisa enquanto estivemos fora da cidade? Um milagre, por exemplo?".

"É só a chuva", replicou o velhote. "É a chuva que está deixando todo mundo feliz, inclusive eu. Iahuuu! Iuuuupi!", e saiu dançando pela rua.

"É o Leão Marinho", percebeu Haroun de repente. "É o Leão Marinho que está realizando o meu desejo! Deve haver um final feliz artificial misturado nessa chuva."

"Bem, se é o Leão Marinho", disse Rashid, sapateando numa poça d'água, "então a cidade deve a você um agradecimento enorme."

"Não, papai, por favor", disse Haroun, sentindo seu bom humor se esvaziar de repente como um balão furado. "Você não percebe? Isso não é real; é só uma coisa que os Cabeças de Ovo tiraram de uma garrafa! É tudo falso! As pessoas deviam ser felizes quando têm um bom motivo, e não quando tomam uma chuva de felicidade engarrafada, caída do céu!"

"Pois eu vou te dizer um motivo para ser feliz", disse um

policial que por acaso passou flutuando, em pé num guarda-chuva virado. "Nós lembramos o nome da cidade!"

"É mesmo? Então conte logo!", pediu Rashid, excitadíssimo.

"Kahani", respondeu o policial, alegre, deslizando pela rua inundada. "Não é um belo nome para uma cidade? Kahani quer dizer 'história', sabiam?"

Foram chegando à rua onde moravam e viram sua casa, que parecia um bolo todo empapado de chuva. Rashid continuava pulando e saltitando, mas Haroun sentia seus pés cada vez mais pesados a cada passo; já estava achando a alegria do pai simplesmente insuportável, e pôs a culpa de tudo aquilo no Leão Marinho — de tudo, tudo que era ruim, errado e falso no mundo, um mundo enorme, vazio e sem mãe.

A Srta. Onita apareceu na varanda do segundo andar: "Ah, que bom, vocês voltaram! Venham, venham, vamos comemorar com festas e doces!". Batia palmas e todo o seu corpanzil sacolejava de alegria.

"Que motivo há para comemorar?", perguntou Haroun, quando a Srta. Onita desceu correndo para encontrá-los na rua chuvosa.

"Bem, da minha parte", respondeu ela, "já mandei o Senhor Sengupta passear. E também arranjei um emprego na fábrica de chocolate, com direito a comer grátis quantos chocolates eu quiser. E também tenho vários admiradores — ora, mas que falta de vergonha a minha, falar assim com vocês!"

"Fico contente pela senhora", respondeu Haroun. "Mas na nossa vida nem tudo é música e alegria."

A Srta. Onita fez uma cara misteriosa e disse: "Quem sabe vocês passaram muito tempo fora de casa? As coisas mudam!".

Com isso Rashid franziu a testa: "Onita, do que você está falando? Se você tem algo a dizer...".

A porta da casa dos Khalifa se abriu e ali estava Soraya, em tamanho natural e duas vezes mais bonita. Haroun e Rashid não conseguiram nem se mexer. Ficaram paralisados como estátuas debaixo da chuva torrencial, com o queixo caído de espanto.

"Será que isso também foi obra do Leão Marinho?", cochichou Rashid para Haroun, que se limitou a dar um não de cabeça. O próprio Rashid respondeu: "Quem sabe? Talvez sim, talvez não, como diria o nosso amigo, o motorista do Expresso Postal".

Soraya veio encontrá-los na rua, debaixo da chuva. "Que Leão Marinho?", perguntou ela. "Não sei de nenhum Leão Marinho, mas sei que cometi um erro. Fui embora, não nego. Fui embora, mas agora, se vocês quiserem, estou de volta."

Haroun olhou para o pai. Rashid não conseguia falar.

"Aquele Sengupta, vou te contar", continuou Soraya. "Que sujeitinho! Um funcionariozinho muito do insignificante, antipático, medíocre, choramingas, desprezível, cara de fuinha! Pois para mim ele já era! Acabou, terminou, fim da história!"

"*Khattam-shud*", disse Haroun baixinho.

"Isso mesmo", respondeu a mãe. "Juro, o Senhor Sengupta é *khattam-shud*."

"Seja bem-vinda", disse Rashid, e os três Khalifa (e a Srta. Onita também) caíram nos braços um do outro.

"Vamos entrar", sugeriu Soraya por fim. "Há um limite para a quantidade de chuva que se pode tomar numa boa."

Aquela noite, quando foi dormir, Haroun tirou a miniatura do Gavião-Avião de dentro do envelopinho dourado. Colocou-o na palma da mão esquerda e disse: "Entenda, por favor.

175

É muito bom saber que você vai estar aqui quando eu precisar. Mas do jeito que as coisas estão agora, sinceramente, eu não preciso ir a lugar nenhum".

"Mas mas mas", disse o Gaviãozinho miniatura numa vozinha miniatura (e sem mexer o bico), *não tem problema!*"

Haroun colocou o Gavião MasMas de volta no seu envelope, o envelope debaixo do travesseiro, o travesseiro debaixo da cabeça e pegou no sono.

Quando acordou viu umas roupas novas dobradas ao pé da cama, e na mesinha de cabeceira um relógio novo, funcionando perfeitamente e marcando a hora certa. Ficou intrigado: "Presentes? Por que será?".

Lembrou-se então que era seu aniversário. Ouviu sua mãe e seu pai andando pela casa, esperando que ele aparecesse. Haroun se levantou, vestiu suas roupas novas e deu uma boa olhada no seu relógio novo.

"Sim", disse consigo, "decididamente, o tempo está andando outra vez aqui por estas bandas."

Lá na sala, sua mãe começou a cantar.

FIM

SOBRE OS NOMES USADOS NESTE LIVRO

Muitos nomes dados a pessoas e lugares neste livro derivam de palavras em hindustâni.

ABINAYA é realmente o nome da Linguagem dos Gestos usada na dança clássica indiana.

ALEFBEY é um país imaginário. Seu nome vem da palavra hindustâni que significa "alfabeto".

BATCHIT vem de *baat-chit*, isto é, "bate-papo".

BAT-MAT-KARO significa "Não-Fale".

BEZABAN significa "Sem-Língua".

BOLO vem do verbo *bolna*, falar. "Bolo!" é o imperativo: "Fale!".

GALPI e BAGHA não significam nada de especial, mas são os nomes de dois heróis cômicos de um filme de Satyajit Ray. Os personagens do filme não são peixes, mas são bem escorregadios.

GUP significa "mexerico". Também pode significar "absurdo" ou "lorota".

HAROUN e RASHID. Os dois nomes vêm de Haroun al-Rashid, o lendário califa de Bagdá, que aparece em muitas histórias de *As mil e uma noites*. O sobrenome *Khalifa* significa mesmo "califa".

O LAGO SEM GRAÇA (em inglês, Dull Lake) não existe, mas seu nome vem do lago Dal, na Caxemira, que existe.

KAHANI significa "história".

KHAMOSH significa "mudo".

KHATTAM-SHUD significa "completamente acabado", "terminado de vez".

KITAB significa "livro".

MALI, como era de se esperar, significa "jardineiro".

MUDRA, que fala Abinaya (veja acima), tirou seu nome dessa língua, a Linguagem dos Gestos. Um "mudra" é qualquer um dos gestos que a compõem.

TCHUP significa "quieto"; Tchupwala significa "sujeito calado".

SALMAN RUSHDIE nasceu em Bombaim, Índia, em 1947, de família muçulmana liberal. Em 1968 formou-se em história no King's College, em Cambridge. Passou a dedicar-se à literatura em 1971. De sua autoria, além *Haroun e o Mar de Histórias*, a Companhia das Letras publicou os romances *Os filhos da meia-noite*, que venceu o Booker Prize (1981), o Booker of Bookers Prize (1993) e o Best of Booker (2008); *O último suspiro do mouro*, vencedor do Whitbread Prize (1995); *O chão que ela pisa*; *Fúria*; *Shalimar, o equilibrista*; *Os versos satânicos*; *A feiticeira de Florença*; *Luka e o fogo da vida*; a coletânea de contos *Oriente, Ocidente* e a reunião de ensaios e artigos *Cruze esta linha*.

COMPANHIA DE BOLSO

Tomás Antônio GONZAGA
Cartas chilenas

Philip GOUREVITCH
*Gostaríamos de informá-lo de que amanhã
seremos mortos com nossas famílias*

Milton HATOUM
Dois irmãos
Relato de um certo Oriente

Eric HOBSBAWM
O novo século

Albert HOURANI
Uma história dos povos árabes

Henry JAMES
Os espólios de Poynton
Retrato de uma senhora

Ismail KADARÉ
Abril despedaçado

Franz KAFKA
O castelo
O processo

John KEEGAN
Uma história da guerra

Amyr KLINK
Cem dias entre céu e mar

Jon KRAKAUER
No ar rarefeito

Milan KUNDERA
A arte do romance
A identidade
A insustentável leveza do ser
O livro do riso e do esquecimento

Danuza LEÃO
Na sala com Danuza

Paulo LINS
Cidade de Deus

Gilles LIPOVETSKY
O império do efêmero

Claudio MAGRIS
Danúbio

Naghib MAHFOUZ
Noites das mil e uma noites

Javier MARÍAS
Coração tão branco

Ian McEWAN
O jardim de cimento

Heitor MEGALE (Org.)
A demanda do Santo Graal

Evaldo Cabral de MELLO
O nome e o sangue

Patrícia MELO
O matador

Luiz Alberto MENDES
Memórias de um sobrevivente

Jack MILES
Deus: uma biografia

Ana MIRANDA
Boca do Inferno

Vinicius de MORAES
Livro de sonetos
Antologia poética

Fernando MORAIS
Olga

Toni MORRISON
Jazz

Vladimir NABOKOV
Lolita

V. S. NAIPAUL
Uma casa para o sr. Biswas

Friedrich NIETZSCHE
Além do bem e do mal
Ecce homo
Genealogia da moral
Humano, demasiado humano
O nascimento da tragédia

Adauto NOVAES (Org.)
Ética
Os sentidos da paixão

Michael ONDAATJE
O paciente inglês

Malika OUFKIR, Michèle FITOUSSI
Eu, Malika Oufkir, prisioneira do rei

Amós OZ
A caixa-preta

1ª edição Companhia das Letras [1998] 3 reimpressões
1ª edição Companhia de Bolso [2010]

Esta obra foi composta pela Verba Editorial
em Janson Text e impressa pela Prol Editora Gráfica
em ofsete sobre papel Pólen Soft da Suzano Papel e Celulose